Kübra Gümüşay

SPRACHE
UND
SEIN

Hanser Berlin

11. Auflage 2020

ISBN 978-3-446-26595-0
© Hanser Berlin in der Carl Hanser Verlag GmbH & Co. KG, München
Umschlag: Anzinger und Rasp, München
Motiv: © Nes Kapucu
Satz: Satz für Satz, Wangen im Allgäu
Druck und Bindung: GGP Media GmbH, Pößneck
Printed in Germany

INHALT

Für jene, die uns die Wege ebneten, die vorausgingen,
ohne sein zu können.
Für das Kind, das mich sanft an der Hand nahm
und durch die Welt führte.

Jenseits von richtig und falsch liegt ein Ort.
Dort treffen wir uns.

Rumi

DIE MACHT DER SPRACHE

Ich führe die Gestalt hinüber – in die Welt des Es.

Martin Buber

Was war zuerst da: unsere Sprache oder unsere Wahrnehmung?

Es ist viele Jahre her. In einer warmen Sommernacht am Hafen einer Kleinstadt im Südwesten der Türkei tranken wir Schwarztee und entkernten gesalzene Sonnenblumenkerne in entspanntem Schnelltempo. Meine Tante schaute aufs Meer, in die tiefe, ruhige Dunkelheit, und sagte zu mir: »Sieh nur, wie stark dieser *yakamoz* leuchtet!« Ich folgte ihrem Blick, konnte aber nirgendwo ein starkes Leuchten entdecken. »Wo denn?«, fragte ich sie. Sie deutete erneut auf das Meer, doch ich wusste nicht, was sie meinte. Lachend schalteten sich meine Eltern ein und erklärten, was das Wort *yakamoz* bedeutet: Es beschreibt die Reflexion des Mondes auf dem Wasser. Und jetzt sah auch ich das helle Leuchten vor mir in der Dunkelheit. *Yakamoz.*

Seither sehe ich es bei jedem nächtlichen Spaziergang am Meer. Und ich frage mich, ob die Menschen um mich herum es auch sehen. Auch jene, die das Wort *yakamoz* nicht kennen. Denn Sprache verändert unsere Wahrnehmung. Weil ich das Wort kenne, nehme ich wahr, was es benennt.

Wenn Sie eine andere Sprache neben der deutschen sprechen, dann fallen Ihnen mit Sicherheit zahlreiche Begriffe ein, die Phänomene, Situationen oder Gefühle beschreiben, für die es im Deutschen keine exakte Übersetzung gibt.

So beschreibt das japanische Wort *komorebi* das Sonnenlicht, das durch die Blätter von Bäumen schimmert. *Gurfa*, ein arabisches Wort, steht für die Menge an Wasser, die sich in einer Hand schöpfen lässt. Das griechische Wort *meraki* beschreibt die hingebungsvolle Leidenschaft, Liebe und Energie, mit der sich jemand einer Tätigkeit widmet. Und kennen Sie diese Situation: Sie sind unterwegs in einer fremden Stadt, jemand gibt Ihnen eine Wegbeschreibung, Sie hören aufmerksam zu, und kaum, dass Sie loslaufen, haben Sie die Beschreibung wieder vergessen? Es gibt im Hawaiianischen ein Wort dafür: *akihi*.

Und es gibt das türkische Wort *gurbet*.

Es war vor Jahren, ich lebte damals in Oxford, Großbritannien. An einem Festtagsmorgen, an Bayram, hörte ich einen Radiobeitrag über das Bayramfest in Deutschland. Der Sprecher erzählte von Vätern, die sich im Morgengrauen auf den Weg in die Moschee machen, von der Aufregung, die in den Häusern herrscht, den letzten Vorbereitungen für das gemeinsame Frühstück und den Kindern, die in ihren neuen Kleidern und mit frisch gekämmtem Haar erwartungsvoll um die Geschenktüten herumtanzen.

Die vertrauten Geräusche aus dem Radio erfüllten unsere Küche – und ich spürte zum ersten Mal, seit ich im Ausland lebte und durch die Weltgeschichte reiste, die Leere, die dabei entstanden war. Ich merkte, dass mir die vertrauten Menschen fehlten: meine Eltern und Geschwister, meine Großeltern, Tanten und Onkel, Cousinen und Cousins. Die Älteren der Gemeinde, die mich jedes Mal fest an sich drückten und davon erzählten, wie ich als Kind gewesen sei und wie schnell die Zeit doch vergehe. All die Menschen, die mich liebten, einfach so. Ich trauerte um ihre Abwesenheit.

Doch eigentlich waren nicht *sie* abwesend, sondern *ich*. *Ich* war fort, ich lebte im *gurbet*.

Als ich mich an meinen Schreibtisch setzte und versuchte, meine Gefühle in Worte zu fassen, tanzten meine Finger auf der Tastatur. Ich schrieb fließend, ganz natürlich. Erst viel später bemerkte ich überrascht, dass ich auf Türkisch geschrieben hatte. Dabei sprach und dachte ich in jenen Tagen meist auf Deutsch oder Englisch. Doch mein Gefühl, die große Sehnsucht in der Fremde, hatte am besten das türkische Wort *gurbet* erfasst. Würde ich es als »das Leben in der Fremde« übersetzen, könnte ich damit meinem Gegenüber nur unzureichend beschreiben, was dieses Wort in mir auslöst.[1]

Gurbet ist einer der vielen Begriffe, für die ich im Deutschen keine einfache Übersetzung finde. So wie ich umgekehrt manche auf Deutsch formulierte Gedanken in keinen einfachen türkischen Satz fassen kann. Manchmal will ich *doch* im Türkischen sagen. Ich will mein immer wiederkehrendes *Fernweh* erklären oder die *Schadenfreude*. Für jeden dieser Begriffe brauche ich in der Übersetzung ganze Sätze, bis mein Gegenüber ansatzweise versteht, was ich gedacht, gemeint oder gefühlt haben könnte. So leben manche Gefühle nur in bestimmten Sprachen. Sprache öffnet uns die Welt und grenzt sie ein – im gleichen Moment.

Wilhelm von Humboldt sagte einst, in jeder Sprache liege »eine eigenthümliche Weltsicht«[2]. Wenn dem so ist, wie sehr unterscheidet sich dann die Weltsicht von einer Sprache zur anderen? Dass unsere Sprache – also nicht nur Worte – unsere Wahrnehmung der Welt beeinflusst, ist nicht mehr strittig. Die Frage, an der sich die Geister scheiden, ist: *Wie sehr* beeinflusst die Sprache unser Wahrnehmen und Denken?[3]

Nehmen wir Zahlen. Es gibt Sprachen, die verwenden keine Zahlen. So wie die Sprache der Pirahã, einem Volk im Amazonasgebiet Brasiliens. Mit Ausnahme von »eins«, »zwei« und »viele«[4] gibt es keine Begriffe zur Mengenbestimmung.[5] Nehmen die Pirahã also die Welt anders wahr als wir? Um das zu untersuchen, unternahmen Wissenschaftler*innen folgenden Versuch: Vor Proband*innen der Pirahã wurden bis zu zehn Batterien auf den Tisch gestellt, dann wurden sie gebeten, ihrerseits die gleiche Anzahl Batterien aufzustellen. Bis zu zwei oder drei Batterien gelang es ihnen problemlos, doch ab vier Batterien, deren Menge sie exakt nachstellen sollten, wurden die Ergebnisse stetig ungenauer.

Die Pirahã nutzen außerdem keine genauen Bezeichnungen für Farben. Der Linguist Daniel Everett, der ihre Sprache über viele Jahre studierte, berichtete, sie hätten den Forschenden irgendwann einfach wahllose Begriffe für Farben genannt, um diese zufriedenzustellen. Was sie ebenfalls nicht nutzen: Vergangenheitsformen. Everett zufolge leben sie deshalb tatsächlich im Moment, fixiert auf die Gegenwart – das Lebensprinzip *carpe diem* ist ihnen sozusagen durch die Sprache vorgegeben. Nur wenige Pirahã erinnern sich an die Namen ihrer Großeltern. Und während andere Völker unter ähnlichen Lebensumständen beispielsweise Mehlvorräte für mehrere Monate produzieren, sorgen die Pirahã höchstens für einige Tage vor. Außerdem haben sie wie andere Amazonas-Völker keinen Schöpfungsmythos. Werden sie gefragt, was vorher war – vor den Pirahã, bevor der Wald existierte –, antworten sie, es sei alles schon immer so gewesen. Everett beschreibt ein Wort – *xibipíío* – als Schlüssel zum Verständnis der Vorstellungswelt der Pirahã:

Schließlich wurde mir klar, dass dieser Begriff das benennt, was ich als Erfahrungsschwelle bezeichne: den Vorgang, die Wahrnehmung zu betreten oder zu verlassen und sich damit an den Grenzen des Erlebens zu befinden. Eine flackernde Flamme ist eine Flamme, die immer wieder in den Erfahrungs- oder Wahrnehmungsbereich eintritt und ihn verlässt. (…) Deklarative Äußerungen in Pirahã enthalten nur Aussagen, die unmittelbar mit dem Augenblick des Sprechens zu tun haben, weil sie entweder vom Sprecher selbst erlebt wurden oder weil jemand, der zu Lebzeiten des Sprechers gelebt hat, ihr Zeuge war.[6]

Die ersten Jahre verbrachte Everett als evangelikaler Missionar unter den Pirahã. Doch seine Bemühungen, sie zu »bekehren«, schlugen immer wieder fehl. Sie hatten schlicht kein Interesse an den Geschichten aus der Bibel und fanden es merkwürdig, dass Everett immer wieder von einem Jesus erzählte, dessen Handlungen kein Lebender mehr bezeugen konnte. Ihre Kultur kennt nämlich nicht nur keine Schöpfungsmythen, sondern auch sonst keine Folklore oder Überlieferungen. Und so wurde schließlich Everett, der Missionar, unter dem Einfluss des Lebens mit ihnen zum Atheisten.

Sprächen wir eine Sprache, die keine Vergangenheit kennt, würden unsere Gedanken dann so sehr um das längst Vergangene kreisen, wie sie das tun? Könnten wir überhaupt in historischen Erzählungen schwelgen, in fremden Erinnerungen? Was würde das für Religionen, Bewegungen und Staaten bedeuten? Gäbe es keine kollektive Geschichte, könnte es dann überhaupt Nationalstaaten geben?

> *A nation that keeps one eye on the past is wise.*
> *A nation that keeps two eyes on the past is blind.*
>
> Inschrift auf einer Wand in Belfast, Nordirland

Sprache beeinflusst auch unsere Wahrnehmung in der Gegenwart. In manchen Sprachen – etwa im Deutschen oder Spanischen – werden Substantiven grammatische Geschlechter zugeschrieben. So ist das Wort *Brücke* im Deutschen weiblich, im

Spanischen männlich. Dies wiederum prägt die Beschreibungen von tatsächlichen Brücken jeweils »geschlechtstypisch«: Im Deutschen werden Brücken eher als »schön, elegant, fragil, friedlich, hübsch und schlank« beschrieben, im Spanischen eher als »groß, gefährlich, lang, stark, stabil und gewaltig«.[7]

In vielen anderen Sprachen – etwa im Indonesischen, Türkischen, Japanischen, Finnischen oder Persischen – gibt es hingegen *gar* keine geschlechtsspezifischen Pronomen, also kein *er*, *sie* oder *es*. So beschreibt die Kognitionspsychologin Lera Boroditsky ein Gespräch mit einer Person, deren Muttersprache Indonesisch ist. Sie unterhielten sich auf Indonesisch über eine mit Boroditsky befreundete Person. Ihr Gegenüber, dem diese Person unbekannt war, stellte ihr alle möglichen Fragen zu dieser Person. Doch erst in der 21. Frage ging es darum, ob diese Person ein Mann oder eine Frau sei.[8]

Boroditsky war erstaunt. Konnte sich ihr Gegenüber während der gesamten Unterhaltung einen Menschen ohne ein spezifisches Geschlecht vorgestellt haben?[9] Wie ist das bei Ihnen: Könnten Sie der Geschichte einer Person folgen, Nachfragen stellen, sich die Person vorstellen, ohne den Drang zu verspüren, ihr Geschlecht wissen zu wollen?[10]

Besonders eindrucksvoll im Hinblick auf die Wahrnehmung von Raum und Zeit ist die Sprache der Thaayorre im Norden Australiens. Im Kuuk Thaayorre gibt es keine Wörter für *links* und *rechts*, stattdessen verwenden die Thaayorre Himmelsrichtungen, etwa so: *Da ist eine Ameise an deinem Nordwest-Arm.* Oder: *Kannst du die Tasse bitte nach Südsüdost schieben?* Schon im Alter von vier oder fünf Jahren können Thaayorre selbst in geschlossenen und überdachten Räumen zielgenau die Himmelsrichtungen benennen.[11] Wenn sich zwei Thaayorre begegnen, fragen sie einander bereits bei der Begrüßung, wohin der andere geht – so sind die Sprechenden schon beim Smalltalk angehalten, die Himmelsrichtung zu benennen, die ein so elementarer wie selbstverständlicher Bestandteil ihrer Sprache und Wahrnehmung ist. Als Lera Boroditsky versuchte, Kuuk Thaayorre zu erlernen, erlebte sie Folgendes:

> Ich hatte dort dieses coole Erlebnis, als ich versuchte, die Orientierung zu behalten, weil alle mich behandelten, als wäre ich ein bisschen dumm, weil ich mich nicht orientieren konnte, und das tat weh. Und so versuchte ich den Überblick zu behalten, welcher Weg wohin führt.
>
> Und als ich eines Tages mit ihnen unterwegs war und nur auf den Boden schaute, merkte ich, wie plötzlich ein neues Fenster in meinem Kopf aufging, und mit einem Mal war es, als würde ich die Landschaft, durch die ich lief, von oben sehen, und ich war ein kleiner roter Punkt, der sich dort unten bewegte. Ich drehte mich um, und das kleine Fenster blieb auf die Gegend eingestellt, aber es drehte sich vor meinem inneren Auge. Und (…) ich dachte, oh, das macht es so viel einfacher. Jetzt kann ich die Orientierung behalten.

Als sie einem Thaayorre von dieser für sie merkwürdigen Erfahrung berichtete, lachte er und fragte, wie ein Mensch sich denn sonst orientieren sollte auf dieser Welt.[12]

Unsere Sprache mit ihren grammatischen Strukturen, Regeln und Normen hat nicht nur Einfluss auf unsere Wahrnehmung von Raum, sondern auch auf unsere Wahrnehmung von Zeit. Wie fließt Zeit für Sie? Würde ich Sie als Deutsch sprechende Person bitten, die Bilder eines Menschen von Geburt bis ins hohe Alter zeitlich zu sortieren, würden Sie vermutlich links mit Kindheitsbildern beginnen und nach rechts dem Alter nach sortieren. Im Deutschen und allen lateinischen Sprachen schreiben und lesen wir von links nach rechts, und entsprechend nehmen wir auch die Zeit wahr. Hebräisch- oder arabischsprachige Menschen würden das Gegenteil tun, also von rechts nach links sortieren. Wie aber würden die Thaayorre die Bilder sortieren? Die Antwort lautet: mal von links nach rechts, mal von rechts nach links, mal von vorne nach hinten, mal von hinten nach vorne – je nachdem, wie die Versuchsperson gerade sitzt. Zeit fließt für Thaayorre von Osten nach Westen. Säße die Versuchsperson also nach Norden ausgerichtet, würde sie die Bilder von rechts nach links sortieren. Würde sie sich in die entgegengesetzte Richtung drehen, würde sie auch andersherum sortieren.

Mich hat diese Wahrnehmung der Zeit und der Welt nachhaltig beeindruckt. Erst im Vergleich wird deutlich, welche Sicht auf diese Welt uns anerzogen wird. Alles dreht sich um uns – eigentlich sogar um das »Ich« und seine individuelle Wahrnehmung. Ich drehe mich und mit mir die Welt. Wie wäre es, wenn wir eine Sprache wie Kuuk Thaayorre sprächen, die uns ständig daran erinnert, dass wir nichts anderes sind als ein kleiner Punkt auf einer riesengroßen Karte; dass die Zeit über uns hinwegfließt, unabhängig vom Standpunkt des »Ich«? Mit welchen Grundsätzen, welcher Demut würden wir andere Menschen, Lebewesen, die Natur betrachten?

In unserer Sprache gilt die Regel: 99 Sängerinnen und 1 Sänger sind zusammen 100 Sänger.
Futsch sind die 99 Frauen, nicht mehr auffindbar, verschwunden in der Männerschublade.

Luise F. Pusch

Die Beschäftigung mit anderen Sprachen kann uns dabei helfen, den Blick auf die Grenzen der eigenen Sprache zu öffnen. Doch im Grunde braucht es diese Umwege nicht. Auch ohne den Blick von außen können Sie die Unzulänglichkeit von Sprache spüren, können Sie an die Grenzen Ihrer Sprache stoßen. Stellen Sie sich vor, Folgendes geschieht: Ein Vater und ein Sohn sind mit dem Auto unterwegs und haben einen Unfall, bei dem beide schwer verletzt werden. Der Vater stirbt während der Fahrt zum Krankenhaus, der Sohn muss sofort operiert werden. Bei seinem Anblick jedoch erblasst einer der diensthabenden Chirurgen und sagt: »Ich kann ihn nicht operieren – das ist mein Sohn!«[13]

Wer ist diese Person? Die Wissenschaftlerin Annabell Preussler verwendet dieses Beispiel, um zu verdeutlichen, welche Bilder sich aufgrund unseres Sprachgebrauchs in unseren Köpfen festsetzen. Die Antwort lautet: Es ist die Mutter.[14]

Warum sorgt diese Geschichte im ersten Moment für Irritation? Weil wir uns – wenn von einem »Chirurgen« die Rede ist – einen Mann vorstellen, keine Frau. Wir tun das, weil die deutsche Sprache nicht nur geschlechtsspezifische Pronomen kennt, sondern auch einen *Genus*, also ein grammatikalisches Geschlecht – anders als beispielsweise das Englische, in dem der *teacher* sich auf eine Lehrerin oder einen Lehrer beziehen kann. Trotz dieser Unterscheidungsmöglichkeit gibt es die Konvention des generischen Maskulinums, die dazu führt, dass die Berufsbezeichnung *Lehrer* Männer wie Frauen umfassen soll.

Der Sprachwissenschaftler Peter Eisenberg argumentiert, dass mit einer solchen Sammelbezeichnung *weder* Männer *noch* Frauen gemeint seien, sondern eben alle, die lehren.[15] Nur die Tätigkeit sei interessant. Damit wird jedoch der männliche Standpunkt als *neutral* universalisiert und die männliche Form als Standard vorgegeben. Wenn also weder Männer noch Frauen gemeint sind – warum dann nicht einfach die weibliche Form nehmen? Das schlägt Luise F. Pusch vor, Mitbegründerin der feministischen Sprachwissenschaft in Deutschland. Wenn also die Berufsbezeichnung *Lehrerin* lautete, ließe sich dann immer noch behaupten, es seien all jene gemeint, die lehren?

Das Gedankenspiel verdeutlicht die Unzulänglichkeit des generischen Maskulinums. Es reicht nicht aus, dass Frauen – womöglich – mitgemeint sind, wenn sie nicht auch von allen mitgedacht werden, die den Begriff verwenden.

Die Wissenschaftlerinnen Dagmar Stahlberg, Sabine Sczesny und Friederike Braun haben den Einfluss geschlechtergerechter Sprache auf unser Denken in folgendem Experiment aufgezeigt: Sie legten 50 Frauen und 46 Männern, unterteilt in drei Gruppen, jeweils einen Fragebogen vor. Die Fragebögen waren alle exakt gleich, sie unterschieden sich einzig in der Geschlechterbezeichnung. Während die einen nach ihren liebsten Roman*helden* befragt wurden, wurde die zweite Gruppe nach ihren liebsten Roman*figuren* und die dritte nach ihren liebsten Roman*heldInnen* befragt. Also mit männlicher, geschlechtsneutraler und schließlich männlich-weiblicher Begriffsform, dem Binnen-I.

Weibliche Romanheldinnen wurden am häufigsten in der geschlechtsneutralen und der männlich-weiblichen Begriffsform genannt, deutlich weniger dagegen in der ersten Gruppe, also jener, bei der die männliche Form vermeintlich Figuren beiderlei Geschlechts »neutral« umfasst. Viele ähnliche Studien, die sich mit dem Gebrauch der männlichen Sprachform beschäftigen, haben das gleiche Ergebnis erbracht: Frauen werden gedanklich weniger einbezogen.[16]

Wie lässt sich dieses Problem lösen? Darüber wird seit Jahrzehnten gestritten und debattiert. Sollen wir ein Binnen-I verwenden (und damit eine binäre Geschlechterdarstellung sprachlich zementieren)? Einen Unterstrich (und damit die weibliche Form als Anhängsel in weite Ferne vom männlichen Wortstamm rücken)? Einen Doppelpunkt? Ein Ausrufezeichen? Ein Sternchen? Ein X? Und wie sprechen sich diese Schreibweisen jeweils aus? Was würde sich im Sprachgebrauch durchsetzen?[17] Trotzdem bleibt die Frage: Bekämpfen diese Vorschläge nur Symptome? Brauchen wir vielleicht eine neue, sichtbar nicht neutrale Endung für die männlichen Formen? Damit Lehrer *tatsächlich* all jene meint, die lehren? Damit der Mann nicht mehr der Standard ist? Oder brauchen wir eine Sprache, die gänzlich darauf verzichtet, Menschen nach ihrer Geschlechtsidentität zu kategorisieren? Bei Sprachen wie Swahili, Usbekisch, Armenisch, Finnisch oder Türkisch ist das der Fall.

Mit meinem Sohn spreche ich vor allem Türkisch. Statt *er*, *sie* oder *es* wird im Türkischen das *o* verwendet.[18] Je mehr er Deutsch sprach, desto öfter ertappte ich mich dabei, wie ich ihn korrigierte, wenn er das »falsche« Geschlecht verwendete – natürlich, ich verbesserte eigentlich nur seine Fehler beim Sprachgebrauch. Andererseits: Warum erziehe ich ihn dazu, Menschen zu betrachten und sie als erstes, noch bevor wichtigere Qualitäten zur Geltung kommen können, der Kategorie Mann oder Frau zuzuordnen?[19]

Klar ist: Wir müssen uns mit der Architektur der Sprache beschäftigen, die unsere Realität erfassen soll. Damit wir aussprechen können, was ist. Damit wir sein können, wer wir sind. Damit wir sehen können, wer die jeweils anderen sind.

Die Grenzen meiner Sprache bedeuten die Grenzen meiner Welt.

Ludwig Wittgenstein

Bei einem Abendessen in einer diversen Runde habe ich über dieses Thema gesprochen – darüber, wie Sprache Menschen ausgrenzen kann. Viele am Tisch stimmten mir zu und berichteten von eigenen Erfahrungen, bis sich eine Frau zu Wort meldete, die bis dahin geschwiegen hatte. Sie sagte, sie sei überrascht, dass ich und auch andere im Raum sich so für Ungerechtigkeiten in der Sprache interessierten. Sie selbst habe sich nie vom generischen Maskulinum ausgeschlossen, nie durch Sprache begrenzt gefühlt. Im Gegenteil, sie habe beigebracht bekommen, positiv auf die Welt zu schauen. Was könne ihr in diesem Leben schließlich passieren? Im schlimmsten Fall würde sie noch immer ein warmes Zuhause, Kleidung und genug zu essen haben.

Ein bisschen ratlos hörte ich ihr zu. Und dachte: Vielleicht kann sich ein Mensch, der noch nie gegen eine Mauer gelaufen, der noch nie hart auf den Boden der Machtlosigkeit, des Kontrollverlusts, der Demütigung, der Einsamkeit oder der Sprachlosigkeit geschlagen ist – vielleicht kann so ein Mensch sich die Mauern, die sich tatsächlich durch unsere Gesellschaft ziehen, gar nicht vorstellen. Vielleicht läuft dieser Mensch neben einer solchen Mauer entlang, ohne sie auch nur zu spüren. Ohne zu ahnen, dass sie für viele andere, deren Szenario des »schlimmsten Falls« ein ganz anderes wäre, real ist.

Eine inzwischen berühmte Analogie des US-amerikanischen Autors David Foster Wallace ist ein bildlicher Ausdruck dessen, was Sprache und ihre Macht für mich bedeuten: »Schwimmen zwei junge Fische des Weges und treffen zufällig einen älteren Fisch, der in die Gegenrichtung unterwegs ist. Er nickt ihnen zu und sagt: ›Morgen, Jungs. Wie ist das Wasser?‹ Die zwei jungen Fische schwimmen eine Weile weiter, und schließlich wirft der eine dem anderen einen Blick zu und sagt: ›Was zum Teufel ist Wasser?‹«[20]

Sprache in all ihren Facetten – ihr Lexikon, ihre Wortarten, ihre Zeitformen – ist für Menschen wie Wasser für Fische. Der Stoff unseres Denkens und Lebens, der uns formt und prägt, ohne dass wir uns seiner in Gänze bewusst wären. Wenn ich dieses Bewusstsein herstelle, wenn ich die Grenzen meiner eigenen Wahrnehmung spüre, dann löst das Demut in mir aus. Demut vor der Welt, die ich nur aus meinem eingeschränkten Blickwinkel betrachte. Ich bin dankbar für das Bewusstsein um die Existenz dieser Grenzen – ich hoffe, sie bewahren mich davor, mit unwandelbaren Prämissen und Grundannahmen durch die Welt zu gehen. Das Bewusstsein für unsere Grenzen relativiert die Dinge, die wir ignorant voraussetzen. Die Dinge, die wir als universal postulieren – definieren sie doch nichts mehr als die Grenzen unseres Horizonts.

Die Begrenztheit meiner Wahrnehmung ist aber auch Antrieb – sie veranschaulicht mir, wie viel ich noch lernen, aufsaugen und verstehen kann. Wenn Sprache unsere Betrachtung der Welt so fundamental lenkt – und damit auch beeinträchtigt –, dann ist sie keine Banalität, kein Nebenschauplatz politischer Auseinandersetzungen. Wenn sie der Stoff unseres Denkens und Lebens ist, dann müsste es selbstverständlich sein, dass wir uns immer wieder fragen, ob wir einverstanden sind mit dieser Prägung.

Es lässt tief blicken, wenn ich beobachte, welchen Wert wir welchen Sprachen beimessen. Wie wir mit Perspektiven umgehen, die sich jenseits unseres sprachlichen Horizonts befinden. Welche Sprachen auf den Schulhöfen erwünscht, welche verpönt sind. Wie wir jene betrachten, die mit neuen Begriffen unsere Wahrnehmung erweitern, und andere, die Begriffe prägen, um Menschen zu entmenschlichen.

Sprache ist mächtig. Und Macht bedeutet Verantwortung.

Wie ließe sich mit dieser Macht umgehen? Das ist ein Moment, in dem ich das türkische Wort *aciziyet* vermisse.

Schwäche, Hilflosigkeit, Unfähigkeit – das sind die Wörter, die mir Übersetzungsmaschinen anbieten, wenn ich nach einem deutschen Pendant suche. Doch *aciziyet* bedeutet so viel mehr. Ein Wort, das mich dazu bringt, die Welt von unten zu betrachten. Von ganz unten. Machtlosigkeit und Kraftlosigkeit zu spüren, die Abwesenheit von Möglichkeiten, die Unerreichbarkeit von Dingen zu spüren – und auszuhalten. Dabei empfinde ich diesen Begriff nicht als negativ. Eine merkwürdige Freiheit ist mit ihm verbunden. Denn *aciziyet* evoziert auch das besonnene Wahrnehmen einer Situation, der ein Mensch ausgesetzt ist. Eine emanzipierte Akzeptanz der Umstände des Lebens. Keine demütigende Unterlegenheit, sondern respektvolle Achtung. Vielleicht ist das besonnene, emanzipierte Bewusstsein für unsere Nichtigkeit eine der wenigen Wahrheiten, die wir in ihrer Vollständigkeit erfassen können. Unsere *aciziyet*.

Doch wir spüren den Stoff unseres Denkens nicht, sehen die Architektur unserer Sprache nicht, wenn sie für uns funktioniert. Wir spüren die Mauern und Grenzen der Sprache erst, wenn sie nicht mehr funktioniert, wenn sie uns einengt. Uns die Luft zum Atmen nimmt.

In dem Moment, in dem Sprache für *mich* nicht mehr funktionierte, begann ich sie in ihrer Struktur wahrzunehmen. Ich erkannte, was mich in die Enge trieb und in mir das Gefühl des Erstickens erzeugte. Sprache ist genauso reich und arm, begrenzt und weit, offen und vorurteilsbeladen wie die Menschen, die sie nutzen.

In seinem Essay »Das hohle Wunder« aus dem Jahr 1960 schrieb der Literaturwissenschaftler, Philosoph und Holocaust-Überlebende George Steiner: »Alles vergißt – nur die Sprache nicht. Ist sie erst einmal infiziert mit Falschheit, Lüge und Unwahrheit, kann sie nur mit Hilfe der kräftigsten und vollsten Wahrheit gereinigt werden.« Steiner meinte die Sprache in Nachkriegsdeutschland, er beklagte, dass dieser Prozess ausgeblieben sei, dass die deutsche Sprache stattdessen »von Verstellung, Heuchelei und vorsätzlichem Vergessen gekennzeichnet war«.[21] Doch es ging ihm nicht um die Sprache an sich, sondern darum, wie sie das Denken und Handeln prägt: um die »Wechselbeziehungen zwischen Sprache und politischer Unmenschlichkeit«[22]

Die Wechselbeziehungen zwischen Sprache und politischer Un-menschlichkeit – um sie geht es mir in diesem Buch. Und darum, wie wir anders sprechen können, menschlicher. Kurt Tucholsky schrieb, dass Sprache eine Waffe sei. Ja, das kann sie sein, und das ist sie viel zu häufig, ohne dass sich die Sprechenden dessen bewusst wären. Aber das muss sie nicht. Sprache kann auch ein Werkzeug sein. Sie kann uns in der Dunkelheit der Nacht die helle Reflexion des Mondlichtes sehen lassen. Sprache kann unsere Welt begrenzen – aber auch unendlich weit öffnen.

ZWISCHEN DEN SPRACHEN

*Das Lernen einer Fremdsprache gleicht der
langsamen Gewöhnung an den Gedanken, dass auch
in anderen Welten intelligentes Leben existiert.*

Ta-Nehisi Coates

*Eine Sprache, ein Mensch.
Zwei Sprachen, zwei Menschen.*

Türkisches Sprichwort

Wer sind wir in den Sprachen, die wir sprechen?

Menschen, die in zwei oder mehr Sprachen zu Hause sind, berichten oft davon, dass sie in jeder der Sprachen eine andere Persönlichkeit haben. Ist das möglich? Erwerben wir gar, wie es ein tschechisches Sprichwort besagt, mit jeder Sprache, die wir erlernen, eine neue Seele?

Ich spreche, schreibe und denke in drei, ich fühle in vier Sprachen. Mein Tempo beim Sprechen, mein Ton, meine Gefühlslage ändern sich von Sprache zu Sprache.

Im Türkischen schreibe ich Gedichte. Im Türkischen bete ich. Im Türkischen weine ich.

Es ist die Sprache, deren Klang mir vertraut war, noch bevor ich geboren wurde. Die Sprache, in der ich von meiner Mutter, meinem Vater, meiner Familie geliebt wurde, die Sprache, in der ich das erste Mal liebte. Aber auch die Sprache, in der ich lesen und schreiben lernte. Ihre Wörter verbanden mich mit der Welt meiner Mutter, die bis spätnachts las und schrieb. Bis heute schreibt sie Gedichte, die ihre Gefühle, ihre Gedanken, ihren Schmerz umkleiden, sie zugleich verbergen und offenbaren. Meinen ersten Roman las ich auf Türkisch. Es ist die Sprache, die bis heute mit nur wenigen Tastenanschlägen meinen Körper und Geist zu bewegen vermag. Und nun ist es die Sprache, in der ich meinen Sohn liebe, ihm die Welt vorstelle.

Das Türkische ist die Sprache, in die ich manchmal flüchte, ohne es mir darin gemütlich zu machen. Und doch kann ich nicht ganz in ihr existieren, denn sie ist ein romantisierter Ort, zu dessen dunklen Ecken und Grenzen ich nie vorgedrungen bin.

Die ersten Wörter, die mir mein Großvater ins Ohr flüsterte, waren arabische: die Worte des *Adhan*, des islamischen Gebetsrufes. Das Gebet, das auf diesen Ruf folgt, wird für den neuen Menschen hoffentlich erst viele Jahrzehnte später verrichtet, wenn sich die Hinterbliebenen an seinem Grab versammeln. Diesen ersten, leisen Ruf, der die Endlichkeit symbolisiert, Geburt und Tod vereinend, flüsterte mein Großvater mir zu, gefolgt von einem Namen: Kübra. So sollte ich heißen und so heiße ich.

Die arabische Sprache begleitet mein Leben. Ich erfuhr sie als melodische Sprache, beruhigend und besänftigend. Die Rezitationen meiner Mutter und meines Vaters füllten die Räume unseres Zuhauses und gaben mir Geborgenheit. So wurde das Arabische die zweite Sprache, die ich las, deren Bedeutungen ich aber nie wirklich verstand. Es blieb eine mir in ihrer Tiefe verschlossene Sprache – bis heute. Eine Melodie, die ich fühle, aber nicht in Gänze begreifen kann.

Meine ersten deutschen Worte sprach ich stolz auf einem Stuhl in der Küche, es war der Winter, bevor ich an die Vorschule kam, Maronen brutzelten im Ofen. *Auto*, *Haus*, *Baum*. Das Deutsche sollte mein wichtigstes, umfassendstes und doch ambivalentestes Zuhause werden. Es eröffnete mir die große, weite Welt, erlaubte mir eine neue Selbstständigkeit. In dieser Sprache machte ich mir neue Freund*innen. Sie war der Schlüssel zu einer reichen Literatur, zu Erzählungen und Geschichten, zu Vergangenheiten und Visionen der Zukunft. Sie verband mich mit Fremden. Freundlichen. Aber auch weniger freundlichen. Ich begriff nun auch, was die Menschen sagten, die mir mit Abscheu ins Gesicht schauten. Das Deutsche verband uns unfreiwillig miteinander.

Im Deutschen wurde ich gelehrt und belehrt. Es gab Richtig und Falsch, rote Striche und Randbemerkungen. Bewertungen. Die Beste und die Schlechteste. In dieser Sprache wurde mir verboten, meine Muttersprache zu sprechen, die anderen fremd erschien. So wie ich.

Im Deutschen begann ich, schnell zu sprechen – früher noch viel schneller und gehetzter. In der Zeit, die mir gegeben wurde, versuchte ich so viel wie möglich unterzubringen – um zu erzählen, zu erklären. Ich wollte in dieser Sprache existieren, mit meinem ganzen Wesen. Mich in ihr verwirklichen, in ihr sein. Ich stieß gegen die Grenzen dieser Sprache. Fiel hin. Stand auf. Dieses Mal mit Anlauf. Prallte gegen ihre Wände. Stolperte über ihre Hürden. Stand erneut auf, ermüdete, sackte ein, stand auf – wieder und wieder. Mit Hoffnung aus Prinzip.

Wenn ich in dieser Sprache denke, wenn ich meine Gedanken zum Ausdruck bringe, dann trauere ich den Facetten nach, die nicht durch ihr Nadelöhr passen. Alles ausdrücken können – das ist ein Anspruch, den ich an andere Sprachen nicht habe. Mit dem Deutschen spiele ich, kämpfe ich, ich liebe es und bin ehrfürchtig – alles gleichzeitig.

Dann verließ ich Deutschland. Und wechselte ins Englische.

Im Englischen bin ich entspannter. Es lastet weniger auf meinen Schultern. Ich bin frei. Ich vertraue auf das, was ich sage, und auf mein Gegenüber, das mit mir denkt. Ich ringe nicht mit der Sprache im dringlichen Bemühen, mich verständlich zu machen. Ich gebe den Gedanken Raum, und so fließen ausgerechnet in der Sprache, die ich zuletzt erlernt habe, ebenfalls Gedichte aus meiner Feder, ganz leicht. Und wenn mir mal ein Wort nicht einfällt, dann erfinde ich eines. Ergänze die Sprache durch die anderen Sprachen. Das Englische ist für mich eine dehnbare Sprache. Sie bietet mir an, mich ihr zu überlassen. Aber von ihr wünsche ich mir das nicht mit aller Kraft. Ihr gilt nicht meine Sehnsucht.

Die Umarmung durch die Sprache: Ich wünsche sie mir vom Deutschen. So kehrte ich in die deutsche Sprache zurück. Ich wollte nicht mehr mit ihr kämpfen. Ich wollte in ihr einfach nur *sein*. Und so begann ich, auch im Deutschen Gedichte zu schreiben. Begann die deutsche Sprache zu dehnen, ohne um Erlaubnis zu bitten. Wen denn auch? Sie ist keine *emanet*, keine Leihgabe, kein mir vorübergehend anvertrauter Gegenstand, sondern ein Teil von mir. Sie gehört mir, wie sie ihren anderen Sprechenden gehört – aber erst, seitdem ich aufgehört habe, um Erlaubnis zu bitten.

Türkisch ist für mich die Sprache der Liebe und Melancholie. Arabisch eine mystische, spirituelle Melodie. Deutsch die Sprache des Intellekts und der Sehnsucht. Englisch die Sprache der Freiheit.

Für die amerikanische Schriftstellerin Jhumpa Lahiri ist das Englische, die Sprache, in der sie vielfach preisgekrönte Bücher schrieb, genau das Gegenteil.

Lahiri, die indischer Herkunft ist und in den USA aufwuchs, beschreibt, wie sie stets im »linguistischen Exil« gelebt habe. Wie Bengali, ihre Muttersprache, zu einer Fremdsprache wurde, weil sie in ihr nicht lesen und schreiben lernte, weil sie für die Amerikaner eine Fremdsprache war. Ihre Beziehung zum Englischen wiederum ist ambivalent, wie für viele mehrsprachige Autoren, die das Englische in der Schule lernten. Es war die Sprache der Mehrheit, die über die eigene Zugehörigkeit waltet. »Fast mein ganzes Leben lang«, schreibt Lahiri, »war die englische Sprache gleichbedeutend mit einem verzehrenden Kampf, einem schmerzlichen Konflikt, einem ständigen Gefühl des Scheiterns, auf das so gut wie alle meine Ängste zurückgehen. Sie repräsentierte eine Kultur, die es zu beherrschen und zu interpretieren galt. Englisch steht für einen schweren, belastenden Teil meiner Vergangenheit. Ich habe genug davon.«[1]

Dann, mit Ende zwanzig, reiste sie mit ihrer Schwester nach Florenz und fühlte sich zum Italienischen hingezogen – es war, als hätte sie sich schon immer nach dieser Sprache gesehnt. Sie nahm immer neue Anläufe, um Italienisch zu lernen, und zog schließlich Jahre später, jenseits der vierzig, mit Mann und Kindern nach Rom. Lahiri tauchte ins Italienische ein und beschloss, fortan auch italienisch zu schreiben. Im Italienischen, sagt sie, sei sie eine toughere, freiere Autorin.

Die Empfindung eines linguistischen Exils – und die Möglichkeiten, Sprachen einander bereichern zu lassen – beschäftigt viele mehrsprachige Autor*innen. Der Schriftsteller Navid Kermani schreibt:

> Nur das Deutsche atme ich, nur das Deutsche kann ich formen. Mit dem Persischen ist es anders. Es ist mir vertraut, mir emotional vielleicht sogar näher, aber es liegt mir längst nicht so gut in den Händen. Ich beherrsche es nicht gut genug, um daraus meine eigene Sprache zu schaffen. Aber es hilft mir gelegentlich, so scheint mir hier und dort, die deutsche Sprache zu erweitern, zu formen.[2]

Die Musikerin Onejiru wuchs in Kenia auf und kam als Dreizehnjährige nach Deutschland. Ihre Muttersprachen Kikuyu und Swahili waren an ihrer Schule in Kenia verpönt – dort sollte sie ausschließlich Englisch, die Amtssprache, sprechen. Wenn sie und andere beim Sprechen ihrer Muttersprachen ertappt wurden, wurden sie bestraft, mitunter sogar geschlagen. Das Englische wurde für sie zu einem Gefängnis – das Deutsche, das sie nach ihrer Auswanderung lernte, zur Sprache der Freiheit. In ihr entdeckte sie ihre Sexualität und lernte sich als Frau kennen, in ihr wurde sie erwachsen. »In meinen Muttersprachen bin ich immer noch ein dreizehnjähriges Mädchen«, erzählte sie mir. Wenn jemand auf Swahili oder Kikuyu über Sexualität spreche, erröte sie heute noch.

Und doch singt sie in all diesen Sprachen: Kikuyu, Swahili, Deutsch, Englisch, auch Französisch – den ersten, den gewählten und den kolonialen Sprachen. Jede von ihnen erlaubt ihr den Ausdruck ganz spezifischer Erfahrungen. Fehlte ihr eine der Sprachen, würde ihr eine Facette ihres Seins fehlen. Dürfte sie nur eine dieser Sprachen sprechen, so könnte sie nicht *sein*.

Von Kaiser Karl V. wird oft folgendes Zitat überliefert: »Wenn ich mich im Gebet an Gott wende, dann auf Spanisch; mit meiner Geliebten spreche ich italienisch, mit meinen Freunden französisch; mit meinen Pferden spreche ich deutsch.«[3] Die Authentizität des Zitates ist umstritten, doch umschreibt es gut die Fragen der Universalität und Utilität von Sprachen.

Die Schriftstellerin Elif Şafak schreibt ihre Bücher manchmal zunächst auf Englisch, übersetzt sie dann ins Türkische, schreibt sie darin sozusagen neu, um sie schließlich wieder ins Englische übersetzen zu lassen und erneut zu überarbeiten. Im Türkischen könne sie Melancholie und Leid besser in Worte fassen, im Englischen Humor, Ironie, Satire und Paradoxie, erzählt sie:

Wenn ich zwischen dem Türkischen und dem Englischen pendle, achte ich auf Wörter, die sich nicht direkt übersetzen lassen. Ich denke nicht nur über Wörter und Bedeutungen nach, auch über Leerstellen und Lücken. Merkwürdigerweise habe ich im Laufe der Jahre festgestellt, dass Distanz manchmal näher zum Ziel führt; wer einen Schritt zurücktritt, erkennt klarer, was er vor Augen hat. Wenn ich auf Englisch schreibe, entfernt mich das nicht von der Türkei; im Gegenteil, es bringt mich ihr näher.

Jede neue Sprache ist ein weiterer Existenzraum. Unser Jahrhundert ist das der Menschen, die in mehr als einer Sprache träumen. Wenn wir in mehr als einer Sprache träumen können, wenn sich unser Gehirn mit dieser Vielfalt komplett arrangiert hat, dann können wir auch in mehr als einer Sprache schreiben, wenn wir das wollen.[4]

Wie Kermani und Şafak versucht auch die Autorin Emine Sevgi Özdamar, die Sprache, in der sie schreibt, durchlässig für die andere Sprache, in der sie denkt, werden zu lassen, sie zu erweitern. Spielerisch, frei, frech, mit Selbstbewusstsein und Leichtigkeit erweitert sie das Deutsche mit dem Türkischen. Ich bewundere die Eleganz und Schwerelosigkeit, mit der sie das tut, auch die Entschlossenheit. Sie nimmt sich den Platz, den sie braucht. *Anadili* will sie im Deutschen sagen, also schreibt sie »Mutterzunge«. Eine wörtliche Übersetzung. In ihrem Roman *Die Brücke vom Goldenen Horn* erzählt sie, wie ihre Hauptfigur, eine türkeistämmige Fabrikarbeiterin in Deutschland, darum bemüht ist, ihren »Diamanten« zu verlieren. Wer den Bezug zum Türkischen nicht herstellen kann, für den bleibt die Bedeutung über mehrere Seiten geheimnisvoll – und doch gelingt ihr so der emotional viel genauere Ausdruck für das Begehren ihrer Heldin, als wenn einfach vom Verlust der Jungfräulichkeit die Rede wäre. Denn was in ihrer Formulierung mitschwingt, ist die überzogene symbolische Aufladung des »Jungfernhäutchens« – und damit die Befreiung von Erwartungen, die sich ihre Figur vom ersten Sex erhofft.[5]

Wenn wir eine Sprache – die Sprache der Mehrheitsgesellschaft – erst in der Schule erlernen, wenn unsere Muttersprache den anderen nicht vertraut ist, so betreten wir den Raum als Fremde. Die Sprache ist die der *anderen*, nicht *unsere*. Wir bemühen uns, sie zu erlernen, sie zu *beherrschen*, in ihr zu kommunizieren. Irgendwann perfektionieren wir sie – irgendwann fühlen wir, sie ist *unsere* Sprache. Wir beherrschen keine andere so gut wie das Deutsche, und doch müssen wir unser Zuhausesein in dieser Sprache verteidigen.

Wir Kinder, die in verschiedenen Sprachen leben, sehen Mauern, die sich durch unsere Gesellschaft ziehen, die für die meisten Menschen, die ausschließlich die dominierende Sprache sprechen, vermutlich nicht sichtbar sind. Wir Kinder von zwei oder mehr Sprachen lernen früh, uns entlang dieser Mauern, über sie hinweg und manchmal mitten durch sie hindurch zu bewegen.

Wir leben auf beiden Seiten der Mauer, wechseln hin und her und hoffen, die auf der einen Seite können sehen, was auf der anderen Seite geschieht. Und umgekehrt. Wir tragen Dinge von hier nach dort, wir laufen, wir erklären. Irgendwann sind wir erschöpft, doch wir wissen auch, dass wir nur auf beiden Seiten in unserer Vollständigkeit existieren können. Dass wir alle unsere Sprachen brauchen, um zu *sein*. Und so öffnen wir die Sprachen, in denen wir leben. Zerren an ihnen. Zwängen uns in sie hinein, um sie entweder zu erweitern, so dass sie uns enthalten können, oder atemlos das Weite zu suchen.

Wir brauchen Vieldeutigkeit, wir brauchen Uneindeutigkeit,

wir brauchen die Freiheit, innerhalb der Sprache anders sein zu können.

Doch zugleich entscheiden die Fähigkeit zur Nicht-Abweichung, die Beherrschung der Norm, die Akzentfreiheit symbolisch über die Zugehörigkeit.

»Wenn ich beim Sprechen einen grammatikalischen Flüchtigkeitsfehler mache, ist es, als würde meine gesamte Intelligenz in Frage gestellt werden«, erzählte mir eine Jura-Studentin über ihre Erlebnisse an der Universität. Ihre Muttersprache ist Türkisch. Deutsch lernte sie erst in der Schule, gehörte dort aber schnell zu den Jahrgangsbesten. An der Universität aber fühlt sie sich als eine von wenigen Studierenden of Color derartig verunsichert, dass ihr einfache grammatikalische Regeln entfallen. Inzwischen, sagte sie, ziehe sie es vor, zu schweigen.

Denn beim Sprechen geht es für marginalisierte Menschen nicht nur um den Wortlaut, den Gedanken, sondern immer auch um die Frage der Zugehörigkeit.[6]

Jede Person hat das Recht, mehrsprachig zu sein –
und jene Sprache zu kennen und zu verwenden,
die am geeignetsten ist für die persönliche
Verwirklichung oder für die soziale Mobilität.
Allgemeine Erklärung der Sprachenrechte

Fremdsprache ist nicht gleich Fremdsprache. Bilingual ist nicht gleich bilingual.

Wenn Sie an Bilingualität denken, welche Sprachen fallen Ihnen ein? Deutsch und Französisch? Deutsch und Englisch? Deutsch und Chinesisch? Sprachen, die sich gut machen im Lebenslauf, in der Wirtschaftswelt, im Arbeitsleben. Sprachen mit Prestige.

Dachten Sie auch an Deutsch und Türkisch? Deutsch und

Arabisch? Deutsch und Rumänisch? Deutsch und Polnisch? Deutsch und Swahili? Deutsch und Kurdisch?

Als die britische Presse davon erfuhr, dass Prinzessin Charlotte, die zu dem Zeitpunkt zweijährige Tochter von Kate und William, mit ihrer spanischen Nanny in deren Muttersprache plaudere, titelte das Boulevardblatt *The Mirror*: »Princess Charlotte can already speak two languages – at age TWO.«[7] Zahlreiche Brit*innen, die ebenfalls bilingual aufgewachsen sind, aber neben dem Englischen nicht Spanisch oder Französisch, sondern Urdu, Hindi oder Polnisch sprechen, fragten sich, ob die Zeitung auch ihr Talent derart euphorisieren würde.

Wenn eine Ihrer Muttersprachen Englisch, Französisch oder Spanisch ist und Sie diese Ihrem deutschen Kind *nicht* beibringen, müssen Sie sich auf Unverständnis und Kritik gefasst machen. Schließlich besuchen andere Kinder teure Sprachkurse, verbringen Zeit im Ausland oder wählen sie als zusätzliches Fach an der Schule, um sie zu erlernen. Diese Sprachen – *Prestigesprachen* – gelten als wichtig für die berufliche Laufbahn. Mehrere von ihnen zu beherrschen gilt als Zeichen von Intelligenz, sprachlichem Talent und hohen kognitiven Fähigkeiten.

Wenn ein deutsches Kind als zweite oder dritte Sprache Rumänisch, Polnisch, Türkisch, Kurdisch, Bosnisch, Arabisch, Farsi, Tamil, Hazaragi, Malaiisch, Zulu oder Diola beherrscht, gilt das im gleichen Maße als Ausweis von herausragenden Fähigkeiten? Bringt es ihm Vorteile und Anerkennung? Sollte es diese Sprachen in seinem Lebenslauf erwähnen?

Als ich vierzehn war, sprachen wir in der Schule über unsere Berufswünsche und schrieben Bewerbungen für ein Praktikum. Für mich stand damals fest: Ich will Kinderärztin werden – ich bewerbe mich bei einer Kinderarztpraxis. Also machte ich mich an die Arbeit und rekapitulierte mein bisheriges Leben. Meine Familie, die Grundschule, das Gymnasium. Ich listete die kleinen Erfolge bei Kunstwettbewerben und Sportwettkämpfen auf. Dann stieß ich in der Anleitung zum Lebenslauf, die unsere Lehrerin verteilt hatte, auf den Punkt »Sprachkenntnisse«. Deutsch, Englisch, Latein, tippte ich in den Computer. Und Türkisch? Sollte ich meine Muttersprache auflisten?

Nein. Irgendwie zählt Türkisch nicht, dachte ich intuitiv. Ich erinnerte mich daran, was eine Lehrerin in der Grundschule gesagt hatte: »Türkisch wird hier nicht gesprochen.« Türkisch, das war eine Sprache von Einwanderern. Türkisch lernt man nicht, Türkisch *verlernt* man.

Meine Mutter liebt Poesie. Einen meiner Brüder hat sie nach Mehmet Akif Ersoy benannt, einem berühmten türkischen Dichter. Mir hat sie schon als Kleinkind türkische Gedichte beigebracht, die ich dann auf Familientreffen vortrug. Doch obwohl ich, schon bevor ich in die Vorschule kam, Türkisch lesen und schreiben und Arabisch lesen und rezitieren konnte, interessierte das in der Schule und auch woanders niemanden.

Wie es wohl gewesen wäre, wenn Menschen diese Mehrsprachigkeit als das erkannt hätten, was sie ist: ein kostbarer Schatz, eine Bereicherung der Gesellschaft? Was wäre, wenn diese sprachliche und kulturelle Pluralität gefördert, wenn die Fähigkeiten dieser Kinder nicht als Defizite betrachtet worden wären?

Wie hätten sich meine bilingualen Mitschüler*innen – ohne Prestigesprache – entwickelt, hätten wir in der Schule neben Goethe und Schiller auch Emine Sevgi Özdamar, Nazik al-Mala'ika, Maya Angelou, Orhan Pamuk, Hafes, Audre Lorde, Ellen Kuzwayo oder Noémi de Sousa gelesen? Was, wenn in der Bilingualität dieser Kinder kein Nachteil, sondern Zukunftspotenzial gesehen worden wäre?

Vielleicht hätte dann niemand die Gründe für ihre Misserfolge in ihrer ethnischen Herkunft gesucht, die sie lernten, als lebenslanges Stigma zu tragen. Vielleicht hätten sie zu einer neuen Art von deutschem Selbstverständnis finden können – eines, das nichtdeutsche Kulturen und Sprachen einzuschließen vermag. Vielleicht hätten sie gespürt: Ich bin wertvoll.

Wenn das so ist, sollten wir nicht endlich damit anfangen?[8]

Was geschieht mit uns, wenn wir eine Sprache, die die Facetten unseres Seins hörbar und fühlbar machen kann, nicht mehr sprechen dürfen?

»Min vê sondê ji bo gelê Kurd û gelê Tirk xwend.« Mit diesen Worten beendete die frisch gewählte Abgeordnete Leyla Zana am 6. November 1991 ihre Vereidigung im türkischen Parlament, begleitet von wütenden Buhrufen und Beschimpfungen anderer Abgeordneter. »Es lebe die türkisch-kurdische Geschwisterschaft« hatte sie auf Kurdisch gesagt – zu einer Zeit, in der kurdische Aktivist*innen in Haft gefoltert wurden, kurdische Verlage geschlossen und die kurdische Bevölkerung zahlreiche unschuldige Todesopfer zu beklagen hatte. Ihre Worte waren ein friedlicher, symbolischer Akt der Sichtbarmachung von Menschen jenseits von Stigmata und Verboten. Drei Jahre später wurde Leyla Zana unter anderem dafür zu 15 Jahren Haft verurteilt.[9]

Das Problem war nicht, *was* sie gesagt hatte, sondern *dass* sie Kurdisch gesprochen hatte. Mit der Gründung der Türkischen Republik nach nationalstaatlichem Vorbild wurden nicht nur die vielen Völker, die auf türkischem Gebiet lebten, zu *einem* Volk, sondern auch das Türkische zur Nationalsprache erklärt. Damit wurden die Sprachen von ethnischen Minderheiten – etwa das Griechische, das Kurdische, das Tscherkessische und Judäo-Spanische – unterdrückt. Eine Politik, die bis heute anhält. Zeitweise war es sogar gesetzlich verboten, Kurdisch zu sprechen, so dass Kurd*innen selbst in den eigenen vier Wänden ihre Muttersprache vermeiden mussten – oftmals die einzige Sprache, die ihre Eltern flüssig sprachen.

In ihrem Buch *Dağın Ardına Bakmak* protokollierte die kurdisch-alevitische, türkeistämmige Dichterin Bejan Matur Gespräche mit Kurd*innen, die sich dem terroristischen Untergrund anschlossen. Das Verbot der Muttersprache taucht in den biografischen Berichten immer wieder als schmerzvolles Moment auf, etwa bei Ferhat aus Adıyaman, einer Provinz im Südosten der Türkei:

Jahre später, im Studentenwohnheim, meldete (Ferhat) ein Telefongespräch mit seiner Mutter an. Seit Monaten hatte er keine Nachricht von ihr erhalten. Als seine Mutter mit dem Telefongerät im Haus des Gemeindevorstehers endlich mit ihm telefonierte, unterbrach die Frau, die die Verbindung hergestellt hatte, das Gespräch und sagte: »Sie sprechen eine verbotene Sprache. Wenn Sie so weitermachen, werde ich die Verbindung trennen.« Ferhat erzählt weiter: »In dem Moment hatte ich es nicht begriffen. Doch als ich nachdachte, erkannte ich: Ja, die verbotene Sprache war Kurdisch! Die Frau öffnete noch einmal meine Telefonkabine und sagte: ›Sie sprechen eine verbotene Sprache. Ich trenne nun die Verbindung.‹ Mir stiegen die Tränen in die Augen. Als ich versuchte, meiner Mutter die Situation zu erklären, brach die Verbindung ab. Ich weinte. Es kränkte mich so sehr, es tat so weh.«[10]

Sprache ist in der Türkei schon lange ein kontroverses Politikum. Mit der von oben angeordneten »Schrift-Revolution« oder auch »Buchstabenrevolution« (*harf devrimi*) schaffte 1928 Mustafa Kemal Atatürk, der Gründer des türkischen Nationalstaats, das arabische Alphabet ab, das im osmanischen Türkisch verwendet worden war, und führte lateinische Buchstaben ein. Von einem Tag auf den anderen, so lautet eine gängige Kritik, wurden so aus Tausenden von Gelehrten plötzlich Analphabet*innen. Das Ziel, sagen die anderen, sei aber gerade gewesen, eine vereinfachte, für die breite Bevölkerung zugängliche Sprache zu entwickeln und damit die Alphabetisierungsrate zu erhöhen. So oder so, infolge des geänderten Alphabets können heute viele junge Türk*innen die Schriften ihrer Vorfahr*innen im Original nicht lesen. Ich selbst, die weit entfernt im *gurbet* lebt, kann die Aufzeichnungen meines Urgroßvaters zwar lesen, aber kaum verstehen. Und so zieht sich auch für mich eine Schlucht zwischen Vergangenheit und Gegenwart.

Eine ähnliche, doch sehr viel tiefere Schlucht tat sich für die Biologin Robin Wall Kimmerer auf, als sie einen Kurs besuchte, um die Sprache ihrer Vorfahr*innen zu lernen. Kimmerer gehört den Citizen Potawatomi an, einem indigenen Volk Nordamerikas mit Verwaltungssitz in Oklahoma. Ihr Großvater wurde als Neunjähriger wie Tausende andere Kinder indigener Völker seiner Familie entrissen und musste jahrelang in einem Internat leben, in dem die Kinder zwangsassimiliert wurden und ihre Muttersprachen nicht sprechen durften. Heute gehören viele indigene Sprachen Nordamerikas zu den bedrohten Sprachen, so auch Potawatomi. Der Sprachkurs wurde mit großer Aufregung erwartet, schreibt Kimmerer, denn alle lebenden Sprecher*innen des Potawatomi sollten als Unterrichtende anwesend sein. Und sie kamen. Auf Krückstöcken, mit Gehhilfen, in Rollstühlen. Kimmerer zählte sie: »Neun. Neun Menschen, die es fließend sprachen. In der ganzen Welt. Unsere Sprache, die sich über Jahrtausende entwickelt hat, sitzt auf neun Stühlen. Die Wörter, mit denen die Schöpfung gepriesen, mit denen Geschichten erzählt, mit denen meinen Vorfahr*innen in den Schlaf gewiegt wurden, liegt heute auf den Zungen von neun sehr sterblichen Männern und Frauen.«[11]

Einer der Männer erzählte, wie seine Mutter ihn versteckte, als die Kinder entführt wurden, und wie er zurückblieb als »Träger der Sprache«. Der Mann wandte sich an die Runde: »Wir sind das Ende der Fahnenstange. Wir sind alles, was übrig ist. Wenn ihr jungen Leute sie nicht lernt, wird die Sprache sterben. Dann haben die Missionare und die US-Regierung endlich gesiegt.« Dann, so Kimmerer, schob eine ältere Frau ihre Gehhilfe nah an das Mikrofon und sagte: »Es sind nicht nur die Wörter, die verlorengehen. Die Sprache ist das Innerste unserer Kultur, sie enthält unsere Gedanken, unsere Art, die Welt zu sehen. Sie ist zu schön, um auf Englisch erfasst werden zu können.«[12]

Und was passiert mit Menschen, die eine Sprache sprechen, in der sie *als Sprechende* nicht vorgesehen sind? 1924 schrieb der deutsch-jüdische Journalist und Publizist Kurt Tucholsky unter dem Pseudonym Ignaz Wrobel über eine Begegnung mit einem türkischen Mann in Paris. Dieser sprach fließend Französisch, Englisch und Deutsch. Je länger sich der Mann mit ihm auf Deutsch unterhielt, so Tucholsky, »desto weniger paßte ich auf das auf, was er sagte – und zum Schluß fielen mir die Augen aus dem Kopf. Wo hatte ich diesen Jargon schon einmal gehört? Was war denn das, was dieser Mensch sprach?« Tucholsky beschreibt das Nasale seiner Sprechweise, die Art, wie er Endungen verschluckte, »den Timbre fauler Verachtung, der es nicht verlohnt, das Maul aufzumachen«. Und schließlich wird ihm klar: Dieser Mann hatte sein Deutsch als Übersetzer in der türkischen Armee gelernt:

Und durch sein Deutsch erschienen wie durch einen Schleier die Lehrmeister dieser erfreulichen Grammatik: mit hohem Kragen, mit Monokel, mit leicht geröteten Gesichtern, mit den nötigen »Harems«-Adressen in der Brusttasche, beklunkert mit deutschen, österreichischen und türkischen Orden, mit dem ganzen Bahnhofsspinat.

»Der Türke« sprach nicht *irgendein* Deutsch. Sondern das Deutsch der deutschen Militärführung. Die Absurdität, Komik und Tragik der Situation wird versinnbildlicht in dem Satz, den Tucholsky den Militärs in den Mund legt: »Der Kümmeltürke soll ma reinkomm, übersetzen!«[13]

So sprechen sie also, wenn er nicht im Raum ist. Er aber spricht *ihr* Deutsch, flüssig und selbstbewusst.

Ist das Deutsche auch *meine* Sprache? Vermag es auch mich und Menschen wie mich zu enthalten?

Die Antwort darauf beginnt mit der Einsicht, dass die Vielfalt, der Facettenreichtum, die Komplexität der Deutsch sprechenden Menschen in dieser Sprache, so wie sie heute gesprochen wird, nicht enthalten ist. Dass sie nicht in der Lage sind, Deutsch zu sprechen und dabei aus *ihrer* Perspektive zu sprechen.

Nehmen wir ein Wort: *Fremde.*

Ein Wort, mit dem Deutschsprechende auch andere Deutschsprechende bezeichnen, die sie als Fremde empfinden, obwohl sie keine sind. Obwohl sie womöglich in keiner anderen Sprache zu Hause sind als der deutschen.

Wir, die Fremden, wachsen auf in einer Sprache, in der wir als Sprechende nicht vorgesehen sind. In einer Sprache, in der unsere Perspektiven nicht vorkommen, sondern nur die Perspektiven derer, die *über* uns sprechen. In deren Macht es steht, uns zu kategorisieren, zu markieren, auszusortieren.

Der afroamerikanische Schriftsteller James Baldwin ging 1948 nach Paris ins »Selbstexil«, um nicht ausschließlich als »negro writer«[14] zu existieren, wie das in seinem Zuhause, den Vereinigten Staaten, der Fall war. In vielen seiner Texte beschäftigte er sich mit dieser Frage: Wie lässt es sich schreiben und sprechen in einer Sprache, in einer Gesellschaft, die den Sprechenden auf eine Facette seines Seins reduziert – demütigend, entmenschlichend? Die englische Sprache war Baldwins Muttersprache, und doch war sie nicht die Sprache, in der er *sein* konnte:

> Mein Problem mit der englischen Sprache war, dass sie meine Erfahrung in keiner Weise widerspiegelte. Doch nun begann ich die Sache ganz anders zu sehen. Wenn die Sprache nicht meine war, könnte es an der Sprache liegen; aber es könnte auch an mir liegen. Vielleicht war die Sprache nicht meine, weil ich nie versucht hatte, sie zu benutzen, sondern nur gelernt hatte, sie zu imitieren. Wenn dem so war, dann wäre sie vielleicht formbar genug, um die Last meiner Erfahrung zu tragen, wenn ich nur die Ausdauer aufbrächte, sie – und mich selbst – einer solchen Anstrengung zu unterziehen.[15]

Baldwin verwandelte die englische Sprache der eigenen Erfahrung an. Er nahm sich heraus, die Sprache zu bearbeiten. Nicht als Gast, sondern als Hausherr. Und wenn diese Sprache, das Deutsche, nicht meine ist, dann ist es *auch* meine Schuld. Statt darum zu flehen, zu erbitten, sie möge Platz für uns schaffen, sollten wir uns diesen Platz nehmen. Wir sollten aufhören, auf den Zeitpunkt zu warten, an dem wir endlich wir selbst sein dürfen. Sondern damit einfach beginnen.

Und doch: ein schwierigeres *Einfach* ist mir nicht bekannt.

DIE LÜCKE IST POLITISCH

*What I began to see (...) is that it is experience
which shapes a language; and it is language which
controls an experience.*

James Baldwin

*Niemals wird also diese Sprache, die einzige, die ich
unter diesen Umständen zu sprechen bestimmt bin,
insofern mir im Leben und im Tod sprechen möglich
ist, niemals – verstehst Du – wird diese einzige
Sprache die meinige sein. Niemals war sie in Wahrheit
die meinige.*

Jacques Derrida

Es gibt Lücken. Zwischen der Sprache und der Welt. Nicht alles,
was *ist,* kommt zur Sprache. Nicht alles, was *geschieht,* findet seinen Ausdruck darin. Nicht jeder Mensch kann in der Sprache,
die er spricht, *sein.* Nicht etwa, weil er die Sprache nicht ausreichend beherrscht, sondern weil die Sprache nicht ausreicht.

Ist es nicht sonderbar: Wir können durch das Betrachten
merkwürdiger Symbole, *Buchstaben,* die *Wörter* ergeben, aus
denen wiederum *Sätze* geformt werden, in andere Welten ver-
sinken – körperlich noch anwesend, auf unserem Stuhl, im Bett,
in der Bahn, aber im Geiste an Orten, die es vielleicht nie gab, in
den Leben und den Köpfen fremder Menschen, mit denen wir
leiden und uns freuen. Das vermag die Sprache – und doch kann
ein Mensch in derselben Sprache sprachlos sein, weil sie für seine

Erfahrungen keinen Ausdruck kennt. Erfahrungen, die so für andere nicht wahrnehmbar sind. Und möglicherweise noch nicht einmal für die Menschen, die sie machen.

Die Wissenschaftlerin Miranda Fricker hat am Beispiel von sexueller Belästigung gezeigt, welche Folgen es haben kann, wenn Missstände nicht benannt werden können. In den 1960er Jahren war der Begriff »sexuelle Belästigung« in den USA noch nicht weit verbreitet, es existierte keine gesellschaftliche Übereinkunft darüber, was er beschreibt. Eine Belästigung, beispielsweise am Arbeitsplatz, konnte als Flirt oder gar Kompliment aufgefasst werden: Der belästigende Chef war sich keiner Schuld bewusst und profitierte vom fehlenden Verständnis, während die belästigte Angestellte weder das Geschehene benennen noch Maßnahmen ergreifen konnte, um sich künftig zu schützen. Ihre Erfahrung war nicht existent. Erst mit der Verbreitung des Begriffes und eines geteilten Verständnisses von sexueller Belästigung konnte der Missstand auch gesellschaftlich problematisiert werden.[1]

Die Ohnmacht, die eine solche linguistische Lücke hinterlässt, ist immens: Weder sind Betroffene in der Lage, das Problem zu verbalisieren, noch sind sich die Täter*innen einer Schuld bewusst. So bleiben Menschen sprach- und machtlos angesichts einer Ungerechtigkeit, die nicht in Worte gefasst werden kann, so dass ausreichend viele Menschen sie als Ungerechtigkeit begreifen. Damit bleibt ihre Realität unsichtbar für die anderen.

Als die US-amerikanische Autorin Betty Friedan 1963 das Buch *The Feminine Mystique*[2] (in Deutschland erstmals 1966 als *Der Weiblichkeitswahn* erschienen) veröffentlichte, wurden Frauenzeitschriften in den USA – genauso wie in Deutschland – mehrheitlich von Männern geschrieben. Sie beschrieben und bestimmten, wie Frauen zu leben und wie sie sich zu fühlen hatten. Sie dominierten die akademische Sicht auf »die Frau«, entwickelten Theorien über ihre Psyche, ihre »Hysterie«, ihr Wesen, ihre Fähigkeiten, ihre Schwächen, ihre Bestimmung. Das öffentliche Bild der »guten« weißen Frau in den Vorstädten der Vereinigten Staaten, sah – verkürzt dargestellt – vor, dass sie in ihrer Rolle als Mutter und Haushälterin absolute Erfüllung findet und ihr »perfektes Leben« genießt.

Als sich Betty Friedan mit ihrem Buch gegen dieses Frauenbild auflehnte, wurde sie nicht nur von einer abstrakten Beobachtung angetrieben, sondern auch von ihrem eigenen Unwohlsein in den Rollen als Mutter, Ehefrau und Erwerbstätige. Um der Struktur hinter dem Unwohlsein nachzugehen, interviewte sie zweihundert Frauen und kam zu dem Schluss, dass etwas »grundverkehrt« war an dem Leben, das sie selbst und diese weißen Frauen in den Vororten führten.[3] Sie schreibt: »Es bestand eine merkwürdige Diskrepanz zwischen der erlebten Wirklichkeit und der Vorstellung, der wir zu genügen versuchten, jener Vorstellung, die ich den *Weiblichkeitswahn* nenne.«[4]

Bevor sie aber diese Diskrepanz zur Sprache bringen konnte, waren es Beobachtungen wie die folgende, die sie dazu veranlassten, die Struktur und das Muster in dem vermeintlich persönlichen, individuellen Unglück einzelner Frauen zu erkennen:

Im April 1959 hörte ich einmal, wie eine Mutter von vier Kindern, die mit vier anderen Müttern in einer Vorortssiedlung in der Nähe New Yorks beim Kaffee saß, in verzweifeltem Ton von »dem Problem« sprach. Ohne daß es ausdrücklich gesagt wurde, wußten die anderen, daß sie nicht Schwierigkeiten mit ihrem Mann, den Kindern oder dem Heim meinte. Plötzlich erkannten sie, daß sie alle unter demselben Problem litten, dem *Problem ohne Namen*. (...) Später, nachdem sie ihre Kinder im Kindergarten abgeholt und zum Mittagsschlaf nach Hause gebracht hatten, weinten zwei der Frauen aus schierer Erleichterung, weil sie nun wußten, daß sie nicht allein waren.«[5]

Warum hatte das Problem dieser Frauen keinen Namen? Dinge zu benennen, Ereignisse einzuordnen, dem Leben einen Sinn zu geben, das war, wie Dale Spender formulierte, »nicht nur eine Männerdomäne, sondern ein grundlegendes Element ihrer Macht«[6]. Wer erklärt die Welt? Wer beschreibt, wer wird beschrieben? Wer benennt und wer wird benannt?

> *Wenn wir uns darauf einlassen, eine*
> *Einzelperspektive zu verabsolutieren, dann suchen*
> *wir sprachliche Herrschaft über andere.*
>
> Robert Habeck

Stellen Sie sich vor, ein Spanier kommt bei einer Schifffahrt nach Mexiko vom Kurs ab und legt am Hamburger Hafen an. Er »entdeckt« für sich also tatsächlich Hamburg, doch nun stellen Sie sich vor, dieser Moment ginge als »Entdeckung« Hamburgs nicht in seine persönliche, sondern in die Weltgeschichte ein. Als hätte es vor ihm dort nichts gegeben, keine Geschichte, kein Leben, keine Traditionen. Stellen Sie sich vor, die Hamburger Bevölkerung würde infolge dieser »Entdeckung« nicht nur massenhaft ermordet und ihres Besitzes beraubt, sondern fortan auch gegen ihren Widerstand als »Mexikaner« bezeichnet.[7]

Es wäre ein Beharren auf der Perspektive der Ignoranz, der Gewalt, des Mordens, der kolonialen Herrschaft – und nichts anderes tun wir, wenn wir die indigenen Völker Amerikas als »Indianer« bezeichnen oder wenn wir die Verwendung des N-Worts verteidigen. Wir beharren auf der Perspektive der Kolonisierenden, der Sklaventreiber, der Entmenschlichung.

Menschen so zu bezeichnen, wie sie bezeichnet werden wollen, ist keine Frage von Höflichkeit, auch kein Symbol politischer Korrektheit oder einer progressiven Haltung – es ist einfach eine Frage des menschlichen Anstands. Ich verzichte darauf, andere trotz ihres Widerspruchs anders zu benennen, als sie es wünschen. Ich verzichte darauf, ihre Perspektive zu unterdrücken, der ich stattdessen Raum gebe.

Es gibt viele Perspektiven auf diese Welt – so viele, wie es Menschen gibt. Jede einzelne ist für sich genommen beschränkt. Alle Menschen sind vorurteilsbehaftet und begrenzt durch ihre Erfahrungen. Wenn aber bestimmte Perspektiven – etwa die weißer Europäer*innen oder Nordamerikaner*innen – privilegiert werden über andere, wenn ihre eingeschränkte Perspektive hegemonialen Anspruch gewinnt, dann verlieren andere Perspektiven und Erfahrungen ihren Geltungsanspruch. Es ist, als würden sie nicht existieren.[8]

In den Momenten jedoch, in denen herrschende Perspektiven und ihre vermeintliche Universalität hinterfragt und angefochten werden, bebt es. Begriffe wie *Mansplaining*, *Alman* oder *alter weißer Mann* erfahren Widerstand, weil sie die Perspektive umkehren: Die Beherrschten bezeichnen die Herrschenden und offenbaren damit nicht nur, wie spezifisch und unterdrückend Sichtweisen sein können, die sich als neutral verstehen, sondern verdeutlichen das Prinzip der Zuschreibung selbst. Und so werden *alte weiße Männer* – vielleicht zum ersten Mal überhaupt – einem pauschalisierenden Typus zugeordnet: privilegiert, seine Privilegien nicht hinterfragend, feministische und antirassistische Positionen ablehnend.

Ein solches Hinterfragen bricht sich nicht abrupt Bahn. Stattdessen schwelt es. Jahrelang, oft jahrzehntelang. Es geschieht in der Stille, in den unbeobachteten Momenten, hinter vorgehaltener Hand oder nur für die Wissenden verständlich, oft verpackt und versteckt in Scherzen, Witzen und Gelächter. 2013 moderierte der Schauspieler Seth MacFarlane die Oscar-Preisverleihung. Als er die Namen der fünf Schauspielerinnen aufzählte, die in der Kategorie »Beste Darstellerin« nominiert waren, fuhr er – nach dem Applaus des Publikums, als genug Ruhe eingekehrt war – mit diesen Worten fort: »Congratulations. You five ladies no longer have to pretend to be attracted to Harvey Weinstein.«[9] Vier Jahre später, im Oktober 2017, begann eine breitere Öffentlichkeit diesen »Witz« zu verstehen: *#Metoo*[10] sorgte dafür, dass die zuvor verborgenen Gewalterfahrungen von Frauen sichtbar wurden.

Das Internet hat neue Perspektiven aus der Stille zur Sprache gebracht. Ohne dass eine einzelne Person – wie Betty Friedan 1963 – Hunderte befragen muss, entstehen digitale Diskursräume, in denen potenziell Millionen Menschen Erfahrungen teilen, die zuvor ungesehen und unerhört blieben. Im September 2013 veröffentlichten Tausende Twitter-Nutzende unter dem Hashtag #SchauHin ihre Erfahrungen mit Rassismus im Alltag. Es ging dabei nicht um brennende Unterkünfte Geflüchteter oder um rechtsextremen Terror, sondern um den Rassismus im Alltag, an Schulen, an Universitäten, im Beruf, im öffentlichen Verkehr oder bei der Wohnungssuche. Es ging um Ereignisse, die sich im Alltag von vielen Tausenden Menschen in Deutschland ereignen.

Ereignisse, die so häufig und so beiläufig geschehen, dass diejenigen, die sie erleben, zugleich lernen, sie zu normalisieren:

Wenn der Beamte im Asylamt (!) afghanische Flüchtlinge als »Talibangesindel« bezeichnet. #SchauHin *(@Emran_Feroz)*[11]

Wenn die Oma den Enkel in der Wanne schrubbt, damit er bisschen heller wird #schauhin *(@AbrazoAlbatros)*

#schauhin, wenn bei einem Vorstellungsgespräch das Thema Ehrenmord und Zwangsehe ist, und nicht deine Qualifikation für die offene Stelle! *(@NeseTuefekciler)*

Ein Lehrer zu einer türkischstämmigen Mitschülerin, die im Unterricht quatschte: »Du bist in diesem Land Gast, also benimm dich.« #SchauHin *(@Janine_Wissler)*

Wenn ich (Afrodt) neben meiner weißen Mutter als Kind gefragt wurde, wie es ist, adoptiert zu sein & wieso ich »Mama« sage. #SchauHin *(@afia_hajar)*

Wenn dein Schuldirektor alle 1er-Abiturienten für ein Hochschulstipendium vorschlägt – bis auf dich (mit Best-Durchschnitt) #SchauHin *(@Elifelee)*

Winter. Ein Freund will sich kurz meine Handschuhe ausleihen. Lehrer: »Nein, die braucht sie selbst, hier ist's kälter als in Afrika« #schauhin *(@Nisalahe)*

Als ich mit 11 sagte: »Später will ich aufs Gymnasium«, hat die Lehrerin am lautesten gelacht. #migrationshintergrund #geschafft #schauhin *(@Poethix)*

Meine Großeltern, die aufhörten ihre Muttersprache zu sprechen, als sie nach Deutschland flüchteten, weil sie beschimpft wurden #schauhin *(@miinaaa)*

Drei Supermarktkassen offen & bei zwei endlos lange Schlangen. Eine Kasse ist fast leer: die, wo eine Frau mit Kopftuch arbeitet. #SchauHin *(@kevusch)*

#SchauHin, wenn der Präsident deiner Uni sagt, Kinder mit türkischem Migrationshintergrund hätten einen niedrigeren IQ. *(@sir_jag)*

VS-Lehrerin: »Ihre Tochter sollte in die Sonderschule. Sie hat Sprachprobleme.« – Letzt. Juni bestand m. Schwester ihr Abi mit 1,0. #Schauhin *(@Emran_Feroz)*

Typ, der normal mit mir deutsch spricht. Dann mitkriegt, dass ich Türke bin: Und. Nur. Noch. Lang. Sam. Re. Det. #schauhin *(@hakantee)*

#SchauHin löste eine breite mediale Debatte über Alltagsrassismus[12] aus und bot damit wiederholt[13] die Gelegenheit, diesen Begriff mit Bedeutung zu füllen und begreiflich zu machen. Ohne einen Anlass, wie es ihn sonst üblicherweise braucht, damit wir uns mit dieser Perspektive auf unsere Gesellschaft beschäftigen – ein Anlass wie brennende Häuser und Tote. Sondern einfach so. Weil der Alltag Anlass genug ist.

Die Masse der Erfahrungen macht deutlich: Sie sind keine Einzelfälle und auch nicht der übermäßigen »Empfindlichkeit« Einzelner geschuldet, sondern Teil eines strukturellen Problems unserer Gesellschaften. Indem wir einen Missstand benennen, geben wir ihm einen Raum, machen ihn begreifbar. Erfahrungen bleiben nicht länger namenlos, unsagbar. Indem Einzelne die Erfahrungen anderer Einzelner bestätigen, in Kampagnen wie #aufschrei, #metoo, #SchauHin oder #metwo, verändert sich die Wahrnehmung in der Gesellschaft. Etwas, das zuvor nur für Betroffene sichtbar war, wird nun auch für Außenstehende sichtbar: Rassismus. Sexismus. Mitten im Alltag. Jeden Tag. Überall in Deutschland.[14]

Ein Fernsehredakteur, der einen Beitrag über #SchauHin produzierte, erzählte mir von folgender Begebenheit: Als er auf der Straße Passant*innen interviewte und nach ihren Erfahrungen mit Alltagsrassismus fragte, wiegelten nahezu alle ab. Sie sagten, sie hätten so etwas noch nie erlebt. Minuten später kehrten viele aber zurück, weil ihnen doch etwas eingefallen war. Und dann noch etwas. Und noch etwas. Und noch etwas.

> *Wer sich nicht bewegt, spürt seine Fesseln nicht.*
>
> Rosa Luxemburg

Woran aber liegt es, dass die Erfahrungen und Perspektiven bestimmter Gruppen in unserer Gesellschaft nicht oder erst nach langen Kämpfen ihren Weg in die Sprache aller finden? Wer hat die Autorität, Erfahrungen, Situationen, Ereignisse, Personen und Personengruppen zu benennen?

Lassen Sie uns Sprache als einen Ort denken. Als ein ungeheuer großes Museum, in dem uns die Welt da draußen erklärt wird. Wochen, Monate, Jahre, ein ganzes Leben könnten Sie in diesem Museum verbringen. Je mehr Zeit Sie dort verbringen, desto mehr Dinge begreifen Sie. Sie können eintauchen in Welten, die Sie nie selbst erlebt haben, die hier geordnet und kategorisiert aufbereitet sind, begreiflich gemacht in Namen und Definitionen. Sie finden Objekte, Lebewesen und Pflanzen aus allen Kontinenten, aber auch Ideen und Theorien, Gedanken und Gefühle, Fantasien und Träume. Längst Vergangenes, aber auch Hochaktuelles.

Es gibt zwei Kategorien von Menschen in diesem Museum: Die *Benannten* und die *Unbenannten*.

Die *Unbenannten* sind Menschen, deren Existenz nicht hinterfragt wird. Sie sind der Standard. Die Norm. Der Maßstab.

Unbeschwert und frei laufen die Unbenannten durch das Museum der Sprache. Denn es ist für Menschen wie sie gemacht. Es zeigt die Welt aus ihrer Perspektive. Das ist kein Zufall, denn es sind Unbenannte, die die Ausstellungen des Museums kuratieren. Sie entscheiden darüber, was gezeigt wird und was nicht, sie geben den Dingen Namen, ordnen ihnen Definitionen zu. Sie sind Unbenannte, doch sie selbst machen von der Macht der Namensgebung Gebrauch. Sie sind auch *Benennende*.

Ja, das Museum der Sprache eröffnet uns die Welt. Aber es erfasst sie keineswegs in ihrer Vollständigkeit, in ihrem ganzen Facettenreichtum. Es erfasst lediglich das, was die Benennenden selbst erfassen – so weit, wie deren Sinne und Erfahrungen reichen. Nicht weiter.

Die anderen Unbenannten bemerken diese Einschränkung nicht, sie bemerken nicht einmal, dass ihr Blick auf die Welt durch den anderer Menschen gelenkt wird. Wie frei und unbeschwert sie sich im Museum der Sprache bewegen können, wird erst deutlich, wenn wir die zweite Kategorie von Menschen in diesem Museum betrachten: die Benannten. Sie sind zuerst einfach nur Menschen, die auf irgendeine Weise von der Norm der Unbenannten abweichen. Anomalien im Weltbild der Unbenannten. Nicht vorhergesehen. Fremd. Anders. Manchmal auch einfach nur ungewohnt. Unvertraut. Sie erzeugen Irritationen. Sie sind nicht *selbstverständlich*.

Die Unbenannten wollen die Benannten verstehen – nicht als Einzelne, sondern im Kollektiv. Sie analysieren sie. Inspizieren sie. Kategorisieren sie. Katalogisieren sie. Versehen sie schließlich mit einem Kollektivnamen und einer Definition, die sie auf die Merkmale und Eigenschaften reduziert, die den Unbenannten an ihnen bemerkenswert erscheinen. Das ist der Moment, in dem aus Menschen Benannte werden. In dem Menschen entmenschlicht werden.

Diese Menschen, die nun keine mehr sind – die Benannten –, leben sorgfältig katalogisiert in Glaskäfigen, beschriftet mit ihren Kollektivnamen. Wir betrachten sie durch die Augen der Unbenannten: gesichtslose Wesen, Bestandteile eines Kollektivs. Jede ihrer Äußerungen, jede ihrer Handlungen wird auf das Kollektiv zurückgeführt, Individualität wird ihnen nicht zugestanden. Den Unbenannten, die sie betrachten, erscheint das als normal, obwohl für sie selbst Individualität die Grundlage ihres Seins ist.

Im März 2015 stürzte eine Germanwings-Maschine in den französischen Alpen ab, alle 150 Menschen an Bord kamen ums Leben. Ermittlungen ergaben, dass der Copilot den Flugkapitän aus dem Cockpit aussperrte, um das Flugzeug zum Absturz bringen zu können. Der Täter war suizidgefährdet und litt unter Depressionen.

Im Juli 2019 wurden ein achtjähriger Junge und seine Mutter in Frankfurt am Main vor einen Zug gestoßen. Die Mutter überlebte, der Junge starb. Auch hier war der Täter ein Mann mit psychischer Erkrankung.

Doch der eine Täter war ein weißer deutscher Mann. Der andere ein Schwarzer Mann aus Eritrea, in der Schweiz lebend.

Was passierte in den Tagen nach den grauenvollen Taten? Wessen Herkunft und Hautfarbe wurden thematisiert? Wessen psychische Erkrankung erörtert? Wer war ein Individuum, wer der Vertreter einer Kategorie?

Die Antirassismustrainerin Sarah Shiferaw berichtete, wie sie am Tag nach dem Mord in Frankfurt von einer älteren weißen Frau am Bahnsteig angesprochen wurde. Sie unterhielten sich freundlich über allerlei, bis die Frau mit dem Finger auf einen Schwarzen Mann zeigte. »Schauen Sie mal, der ist ja auch so dunkel«, sagte die Frau und sprach über ihre Angst. Shiferaw erzählte ihr daraufhin von den Schwarzen Männern in ihrer Familie und fragte: »Was meinen Sie, wie die sich fühlen? Was meinen Sie, wie er (der Mann am Bahnsteig) sich fühlt? (…) Sie müssen ertragen, dass sie für ihre Umwelt Täter sind, weil irgendeine Person irgendwo in Deutschland ein furchtbares Verbrechen begangen hat.«[15]

Manchmal wandern Unbenannte durch das Museum der Sprache und stoßen auf Benannte, die nicht zu den Kollektivnamen zu passen scheinen, die auf ihren Schildern stehen. Eine kopftuchtragende Punkerin zum Beispiel oder ein Schwarzer Balletttänzer. Sie laufen gegen die Wände ihrer Käfige, schlagen sich am Glas blutig. Sie haben ihren Käfig als solchen erkannt, sie haben die Tatsache ihrer Gefangenschaft begriffen und drohen nun ihren Käfig zu verlassen, frei durch das Museum zu laufen. Uninspiziert, undefiniert unter die Unbenannten zu gelangen.

Die Bedrohung verursacht so viel Empörung, Aggression und Gewalt, dass die Benannten meist zurückschrecken. Sich verängstigt zurückziehen in ihre Glaskäfige. Dort orientieren sie sich strikt an den ihnen zugewiesenen Kollektivnamen und Definitionen. Wer habe ich zu sein? Wie habe ich zu sein? Was habe ich zu sein? Sie bewegen sich nur noch vorsichtig, halten Abstand zu den Glaswänden, dem Rahmen dessen, was sie definiert. Bis sie schließlich zu Karikaturen ihrer selbst werden. Zu Stereotypen.

Manche aber bleiben beharrlich. Sie halten dem Aufruhr, der Wut, der Empörung, der Gewalt stand und laufen unentwegt gegen das Glas, schlagen Risse hinein, zwängen sich schließlich hinaus in die Freiheit. Sie weigern sich, diese Wände als die Grenzen ihres Daseins zu akzeptieren. Sobald sie aber das Glas durchbrechen, die Freiheit für einen kurzen Moment einatmen, beginnt die Inspektion durch die Benennenden. Sie werden entkleidet, gedreht und gewendet, neu begutachtet, und sie lassen die Inspektion über sich ergehen. Denn am Ende, so hoffen sie, steht die Freiheit. Sie wollen ihren Definitionen entkommen. Sie wollen frei sprechen.

Stattdessen werden sie durchlöchert. Mit Fragen: zu der Farbe ihrer Haut, der Beschaffenheit ihrer Haare, den Fähigkeiten ihres Körpers, zu ihrer Kleidung, ihrer Kopfbedeckung, ihren Sexualorganen, ihren sexuellen Präferenzen. Mit Fragen, die ihren Verstand, ihre Vernunftbegabung, ihr Menschsein in Frage stellen.

Der Schlüssel zur Freiheit ist das freie Sprechen. Es öffnet die Türen der Käfige, es birgt sogar das Potenzial, die Käfige und die unwidersprochene Perspektive der Benennenden, also der Kuratierenden des Museums der Sprache, in Frage zu stellen, ja die Struktur des Museums insgesamt. Deshalb sollen die Benannten nur während der Inspektion sprechen, sollen nur auf die Fragen antworten, nichts anderes. Sie leisten dem Folge, weil sie erklären wollen, wie sie *wirklich* sind, weil sie sich Freiheit von der Definition erhoffen. Geduldig versuchen sie, sich verständlich zu machen, doch die Fragen sind so gestellt, dass jede Antwort die Kategorie bestätigen muss.

Ich bin eine Benannte. Eine, die untersucht, analysiert, inspiziert wird. Die im Alltag, aber auch auf Konferenzen, in Panels oder Interviews verwundert gefragt wird, wie das denn gehe: Islam und Feminismus, Kopftuch und Emanzipation, Religiosität und Bildung. Weil die bestehenden Kategorien einfach nicht passen. Ich bin eine von denen, die diese Inspektionen jahrelang über sich ergehen ließen. Und ich bin eine von denen geworden, die so vermessen sind, unaufgefordert zu sprechen, Glaswände sichtbar zu machen, ihre Gefangenschaft zu benennen und zu beenden. Eine von denen, die sich erdreisten, die Perspektive umzukehren – das Museum und die Benennenden zu benennen.

Viele Jahre lang glaubte ich, mein Kampf gegen Stereotype könnte irgendwann erfolgreich sein, meine Rolle als Inspizierte sei nur temporär. Doch ich möchte nicht mehr nur reagieren, auf Fragen und Anschuldigungen antworten, Falsches richtigstellen. Ich möchte nicht sprechen, weil ich von anderen dazu aufgefordert wurde, sondern weil ich mich selbst dazu auffordere. Nicht, um verstanden zu werden, sondern um zu verstehen. Nicht, um *mich* zu erklären, sondern um zu begreifen, was uns Menschen ausmacht und umgibt.

> *When they speak it is scientific,*
> *when we speak it is unscientific.*
> *Universal/specific;*
> *objective/subjective;*
> *neutral/personal;*
> *rational/emotional;*
> *impartial/partial;*
> *they have facts, we have opinions;*
> *they have knowledge, we have experiences.*
>
> Grada Kilomba

Um ihre eigene, partikulare Sicht auf die Welt zu einer universellen zu erklären, geben die Benennenden ihr Namen: *universal, neutral, rational, objektiv.* Ihre Sicht der Dinge trägt den mächtigsten Namen überhaupt: Wissen. Sie ist die Norm, die sich nicht erklären muss und zugleich alles, was davon abweicht, zur Erklärung zwingt – ein Mechanismus, der sich durch so viele gesellschaftliche Konstellationen zieht. »Weißsein und Männlichkeit sind implizit«, schreibt die Journalistin und Feministin Caroline Criado Perez. »Sie sind der Standard. Und diese Tatsache ist für all jene unausweichlich, deren Identität sich nicht von selbst versteht, deren Bedürfnisse und Perspektiven routiniert vergessen werden. Für all jene, die daran gewöhnt sind, gegen eine Welt zu prallen, die nicht für sie und ihre Bedürfnisse gestaltet wurde.«[16]

So wird die Perspektive der Unbenannten zum Maß aller Dinge, und wir bemerken nicht einmal, dass wir durch ihre Augen die Welt und sogar uns selbst betrachten. Wir bemerken nicht, dass wir gefangen sind in ihrem Blick auf uns, dass wir nicht *sein* können.

Das ist es, was mit Menschen in unserer Gesellschaft passiert, die als »fremd« bezeichnet werden. Die ihrer Individualität beraubt werden. Ihrer Einzigartigkeit. Ihrer Gesichter. Ihrer Menschlichkeit. Das ist es, was mit Menschen passiert, wenn sie primär und vor allem mit Kollektivnamen versehen werden: *Ausländer, Jude, Muslim, Homosexueller.*

»Schreib dich nicht zwischen die Welten, komm auf gegen der Bedeutungen Vielfalt, vertrau der Tränenspur und lerne leben.«[17] So heißt es in einem Gedichtfragment Paul Celans. Er schrieb es in Frankreich, auf Deutsch. Der Sprache seiner Mutter. Der Sprache ihrer Mörder. Wenn ich dieses Gedicht lese, dann höre ich darin nicht nur die Warnung und Selbstermahnung eines Dichters, sich selbst am Leben zu erhalten – vier Jahre, bevor er sein Leben beendete. Ich höre darin auch den Ausdruck der Sehnsucht eines Menschen nach Existenz. Nach dem Sein in der Sprache. Und dem Sein trotz der Sprache.

1981 schrieb eine andere Lyrikerin, die türkische Migrantin Semra Ertan, dieses Gedicht:

Ich arbeite hier
Ich weiß, wie ich arbeite
Die Deutschen wissen es auch
Meine Arbeit ist schwer
Meine Arbeit ist schmutzig
Das gefällt mir nicht,
sage ich
»Wenn dir die Arbeit nicht gefällt,
geh in deine Heimat«, sagen sie
Meine Arbeit ist schwer
Meine Arbeit ist schmutzig
Mein Lohn ist niedrig
Auch ich zahle Steuern, sage ich
Ich werde es immer wieder sagen,
Wenn ich immer wieder hören muss
»Suche dir eine andere Arbeit«
Aber die Schuld liegt nicht bei den Deutschen
Liegt nicht bei den Türken
Die Türkei braucht Devisen
Deutschland Arbeitskräfte
Die Türkei hat uns nach Europa geschickt
Wie Stiefkinder
Wie unbrauchbare Menschen
Aber dennoch braucht sie Devisen
Braucht sie Ruhe
Mein Land hat mich ins Ausland geschickt
Mein Name ist Ausländer[18]

Ein Jahr später, im Mai 1982, rief Semra Ertan während einer Sendung beim Norddeutschen Rundfunk an. »Ich werde mich verbrennen. Wollt ihr nicht darüber berichten?«, fragte sie.[19] Und begründete ihre Absicht, sich zu töten: »Wenigstens sollten wir hier nicht wie Hunde behandelt werden von den Deutschen. Ich möchte richtig wie ein Mensch behandelt sein!«[20]

Sie setzte ihre Ankündigung in die Tat um. Rassismus, Ausgrenzung, Gewalt und Ablehnung trieben sie dazu, vor den Augen der deutschen Öffentlichkeit zu sterben. Mit 25 Jahren.

Sie, die *Ausländerin*, war in Wirklichkeit so viel mehr. So viel anderes als das.

Sie, die Benannte, kämpfte darum, sich selbst benennen zu dürfen.

INDIVIDUALITÄT ALS PRIVILEG

Individualität.

Komplexität.

Ambiguität.

Makel.

Fehler.

Alle diese Dinge sind *Privilegien*.

Individualität, Komplexität, Ambiguität, Makel und Fehler sind natürlich eigentlich keine Privilegien. Sie gehören zum Menschen dazu, ohne sie kann ein Mensch nicht sein. Und doch werden sie Menschen, die von der Norm abweichen, nicht zugestanden. So wird, was einen Menschen in seinem Facettenreichtum ausmacht, zu einem Privileg. Für diejenigen, die inspiziert werden, die benannt werden, die eingesperrt sind in den Definitionen der Benennenden: *Die* jüdische Frau. *Der* Schwarze Mann. *Die* Frau mit Behinderung. Der Mann mit Migrationshintergrund. *Die* muslimische Frau. *Der* Geflüchtete. *Die* Homosexuelle. *Die* trans Frau. *Der* Gastarbeiter.

Sie alle werden im Kollektiv benannt und betrachtet. So als wäre es möglich, einen Menschen zu verstehen, ohne Zeit mit ihm zu verbringen und sich auf seine besondere Sicht einzulassen. Ohne seine Widersprüche, seine Makel, seine Fehler zu kennen. Und selbst dann hat das Kennenlernen eines Menschen kein Ende. Oder würden Sie über sich sagen, Sie hätten sich abschließend verstanden, Sie selbst könnten sich in Ihrer ganzen Komplexität einem anderen Menschen verständlich machen?

Doch den Abweichenden wird diese Unergründlichkeit nicht zugestanden. Sie werden ihrer Individualität beraubt. Komplexität wird für sie zu einem Privileg.

Anfang 2019 schrieb eine Leserin einen Brief an eine deutsche Tageszeitung und formulierte darin ein Rätsel:

> Versuchen Sie zu erraten, wer ich bin! Ich bin mehr in den Medien als Donald Trump und seine Tweets, Erdoğan und seine Demokratie, Putin und seine Politik. Ich war der Hauptgrund für das Scheitern der Regierungsbildung in Deutschland und für die Erstarkung der Rechten in Europa. Ich bin die große Sorge vieler Bürger in diesem Land, denn ich bin gefährlicher als Altersarmut, Misshandlungen in den Familien, Umweltverschmutzung, Drogenkonsum, Klimawandel, Mangel an Pflegekräften und Erziehern. Ich bin derjenige, der sich immer schuldig fühlt für die Fehler anderer Menschen. Menschen, die er gar nicht kennt. Ich bin derjenige, der sich immer schämt, Nachbarn zu begrüßen, wenn wieder irgendwo etwas passiert. Ich hafte für die Fehler jedes einzelnen und fühle mich bedroht von jedem Bericht in den Medien.

Dann löste die Autorin Vinda Gouma, eine Juristin aus Syrien, das Rätsel auf: »Ich bin die Flüchtlinge! (…) Und zwar alle Flüchtlinge.«[1]

Viele Menschen in unserer Gesellschaft können durch die Straßen gehen und dabei einfach sie selbst sein. Sie können unfreundlich sein, sich ärgern, ihren Emotionen freien Lauf lassen, ohne dass daraus ein allgemeiner Schluss gezogen würde über all jene, die so ähnlich aussehen wie sie oder die gleiche Religion praktizieren.

Wenn *ich*, eine sichtbare Muslimin, bei Rot über die Straße gehe, gehen mit mir 1,9 Milliarden Muslim*innen bei Rot über die Straße. Eine ganze Weltreligion missachtet gemeinsam mit mir die Verkehrsregeln.

Wann wird es einer jungen Frau mit Migrationshintergrund, einem homosexuellen Mann, einer geflüchteten Frau wie Vinda Gouma, einer trans Frau, einem Menschen mit Behinderung möglich sein, einfach nur sie selbst zu sein? Wann dürfen diese Menschen *ich* sagen und damit auch *ich* meinen? Wann werden sie auch so verstanden? »Ich habe durch den Krieg Freunde und Verwandte verloren, Wohnung, Job, Auto, meine Vergangenheit und meine Heimat«, schrieb Gouma. »Aber ein Verlust, den ich erst später gespürt habe, ist meine Individualität, die ich am Schlauchboot an den Grenzen Europas zurückgelassen habe.«[2]

Ich sehe junge Männer mit Migrationshintergrund, junge Schwarze Männer, die sich besonders bemühen, freundlich und zuvorkommend zu sein, freundlich zu lächeln und akzentfrei Deutsch zu sprechen, um ungefährlich zu wirken – oder einfach nur menschlich.

Ich sehe junge kopftuchtragende Frauen, die nahezu überzogen zuvorkommend, frei und lässig tun, weil sie beweisen wollen, dass sie nicht unterdrückt sind, sondern klug und freundlich – oder einfach nur menschlich.

Benannte, die unter den Blicken der Unbenannten performen, um als Menschen wahrgenommen zu werden. Wie anstrengend das ist, wird erst im Kontrast erkennbar: in jenen kurzen Momenten, in denen sie unter sich und nicht mehr dem Druck der Inspektion ausgesetzt sind. Wenn sie erleichtert ausatmen, die Schutzschilde fallen lassen, wenn ihre Schultern entspannt nach unten fallen, die Gesichtsmuskeln sich entspannen und die mittig hochgezogenen Augenbrauen – der Ich-bin-nicht-gefährlich-Blick – sich in ihre natürliche Position senken.

Nach einem Vortrag kam eine junge muslimische Studentin auf mich zu. Sie berichtete von ihrem Engagement, den Widerständen, der Diskriminierung und ihrer Verzweiflung. Ich schaute sie an und wünschte mir nichts mehr, als die Bürde der *Repräsentation* von ihren Schultern nehmen zu können. »Du darfst *du* sein. Du musst dich nicht erklären, verteidigen«, sagte ich zu ihr. »Du bist frei. Du musst nichts tun, um anderen zu beweisen, wie eine Muslimin ist oder sein kann. Sei einfach *du*, mit deinen Ecken und Kanten.« Während ich sprach, spürte ich, wie ihr Körper sich entspannte, ihre Schultern sich entkrampften, ihr Gesicht sich öffnete. Sie kam zum Vorschein. Und ihre Augen füllten sich mit Tränen. Vor Erleichterung, aber auch durch das neue Bewusstsein für die Last, die sie tagtäglich trug. Als wir uns umarmten, war es, als würde ich mich selbst in den Arm nehmen.

In ihrem Essay »Muslims shouldn't have to be good to be granted human rights« schreibt die US-amerikanische Journalistin Sara Yasin über ihre Erfahrungen, als sie nach Jahren ihr Kopftuch ablegte.

Ich erinnere mich daran, wie ich mich in den Tagen, nachdem ich aufgehört hatte, das Kopftuch zu tragen, durch Menschenmengen schlängelte und mich von meiner Unsichtbarkeit berauschen ließ. Mein vermeintliches Weißsein brachte eine Leichtigkeit: Die Welt erschien mir freundlicher. Weniger Menschen waren unfreundlich zu mir, weniger Menschen starrten mich an, niemand fragte mich, woher ich »wirklich« komme, oder lobte mich für mein fließendes Englisch.

Als weiß gelesen zu werden bedeutete auch, dass meine Staatsbürgerschaft nicht mehr beiläufig in Frage gestellt wurde. Ich musste nicht mehr beweisen, dass ich

Amerikanerin bin – ich war es einfach. Doch der größte Unterschied (...) war: Mir wurde klar, dass ich nicht mehr ununterbrochen *nett* sein musste. (...) Ich wurde nun plötzlich als Individuum betrachtet – jede Unhöflichkeit meinerseits war allein meine Unhöflichkeit. Doch die eigentliche Frage ist: Warum war dies vorher nicht der Fall?[3]

Die muslimische Frau ist eines der beliebtesten Objekte der westlichen Neugier – eine Neugier, die früher in erotischen Gemälden über Harems Ausdruck fand, die mehr über das Weltbild und den Blick der Maler aussagten als über die Welt der verzerrt Abgebildeten.[4] Und diese Neugierde, diese Obsession, der koloniale Blick wirken bis heute fort. Wir wollen wissen und verstehen, wer sie ist, *die muslimische Frau*. In der Wissenschaft, in der Literatur, in der Kunst, im Journalismus: Sie wird inspiziert, kategorisiert, als sei sie eine Tierspezies, die es der Menschheit vorzuführen gilt. Und jedes Exemplar der Spezies Muslim*innen ist wie das andere. Ob jung, alt, queer, weiß, Schwarz, of Color, mit oder ohne Behinderung, geflüchtet, Arbeiter*innen, Akademiker*innen – sie alle werden ihrer Stimme und Sichtbarkeit beraubt.

Ich bin eine muslimische Frau. Eine, anhand derer versucht wird zu verstehen, wie *alle anderen* funktionieren. Eine, die sich jahrelang dieser Inspektion aussetzte, in der Hoffnung, »Vorurteile bekämpfen« oder »Stereotype aufbrechen« zu können. Doch wie alle Inspizierten vor und nach mir gelangte ich nicht zur Freiheit, sondern fand mich lediglich in einem etwas größeren Käfig wieder. Erst wenn wir nicht mehr auf die Fragen nach *der* muslimischen Frau antworten, erst wenn wir widersprüchlich, facettenreich und unverstanden sein dürfen, können wir menschlich und frei sein.

Im gegenwärtigen Diskurs über *die* muslimische Frau ist die

Inspektion gemeinhin zu dem Resultat gekommen, dass sie in zwei Käfigen existieren darf. Entweder ist sie ein Opfer – also selbst keine Gefahr, sondern bedroht durch eine Gefahr, beispielsweise das islamisch begründete Patriarchat, die bösen muslimischen Männer, vor denen es sie zu schützen gilt. Oder sie selbst stellt die Gefahr dar, wird zum Vorzeichen einer größeren Gefahr: als Wegbereiterin des Patriarchats oder der Islamisierung.

Weltweit kämpfen muslimische Frauen gegen diese Logik an. Und viele sind darin scheinbar erfolgreich – auch in der Mode-, Sport-, Musik- oder Kulturbranche, in der Wissenschaft, Wirtschaft und Politik. Doch solange diese neuen Rollen nicht die alte Vorstellung einer kollektiven Identität auflösen, werden sie lediglich neue Käfige schaffen. Dann wird es vielleicht in progressiven Kreisen zwanzig oder hundert Kategorien muslimischer Frauen geben – so viele vielleicht, dass ihnen selbst nicht mehr auffallen wird, dass sie immer noch in Käfigen gefangen sind. Oder sie werden zur »Ausnahme« geadelt und vom Rest ihrer Kategorie isoliert, so dass die strukturellen Machtverhältnisse ungestört fortbestehen können. Doch weiterhin wird jedes Mal, wenn eine muslimische Frau, die anders ist als alle bisher Inspizierten, die Bühne der Aufmerksamkeit betritt, erneut ein beunruhigtes Raunen durch das Publikum gehen, bis endlich die neue Kategorie gefunden ist, der neue Begriff, der ihre Existenz allen Unbenannten begreiflich macht. Ja, wir haben dich *verstanden,* liberale, queere, arbeitende, geflüchtete, konservative, orthodoxe, Schwarze, weiße, moderne, studierte, traditionelle Muslim*in.

Jahrelang wurde ich aufgefordert, Bücher und Texte über *die* muslimische Frau zu schreiben. Oder über *die* junge muslimische Frau in Deutschland. *Die* moderne muslimische Frau. *Die* feministische muslimische Frau. All die Jahre lang konnte ich mein

Unbehagen angesichts dieser Rolle nicht klar in Worte fassen. Ich hatte ein Gefühl des Erstickens und begriff nicht, warum. Erst später verstand ich: Jedes Buch über *die* muslimische Frau, das ich für ein nichtmuslimisches Publikum schrieb, so gut meine Absicht auch sein mag, hätte keine Aufklärung und keine Freiheit gebracht, sondern nur die Gefangenschaft der darin Beschriebenen weiter manifestiert.

Wenn ich über die muslimische Frau schreiben müsste, bleibt mir deshalb nur eines: Ich muss die Wände des Käfigs beschreiben, der sie und alle anderen Benannten umschließt. Die Frau, sie kann nicht beschrieben werden. Nicht ohne ein Benennen des Patriarchats, des Sexismus, des Rassismus und all der anderen Machtkonstruktionen, die unser Miteinander zu regulieren suchen.

> *Kathleen (…) möchte in all ihrer Komplexität existieren: als eine, die wütend ist, die leise ist, die stark ist, die schwach ist, die fröhlich ist, die traurig ist; als eine, die die Antworten kennt, als eine, die nichts weiß. (…) Und wir sollten dieser Komplexität Raum geben, sich zu zeigen.*
>
> Grada Kilomba

Ein Stereotyp ist wie ein Panzer. Doch er schützt nicht diejenigen, die ihn tragen, sondern die Ignoranz der Außenstehenden. Stereotype sind Panzer der Ignoranz, die die Ignorierten zu tragen haben. Sie wiegen schwer, sie belasten ihre Träger*innen und zwingen sie in schwachen, menschlichen Momenten in die Knie.

Ich betrachtete die Stereotype, in die ich drohte hineinzuwachsen: *die Kopftuchträgerin, die engagierte Muslimin, die liberale Muslimin, die feministische Muslimin, die Ausnahme.* Ich sah die Panzer, die meine Vorgängerinnen zu tragen hatten, die

Spuren, die sie hinterlassen hatten bei ihren Versuchen, den Panzer aufzubrechen. Ich sammelte ihre Gefühle auf und hörte ihre Rufe und Lieder, die immer noch unter dem Panzer nachhallten. Migrantinnen, Gastarbeiterinnen, ungehörte Zeuginnen, deren Worte *Schweigen* genannt wurden, dabei schwiegen sie nie – sie sprachen nur eine andere Sprache.

Die Worte meiner Großmutter, die noch mit siebzig Jahren lesen und schreiben lernte, sind unverständlich für die anderen. Ihr Humor, ihre Intelligenz, ihre scharfe Beobachtungsgabe – alles unsichtbar. Die Menschen schauen sie an, aber sie sehen sie nicht und sie sehen ihre Freundinnen nicht, Frauen mit Ecken und Kanten, die sie nur noch sympathischer machen, Frauen, die Armut, Leid, Tod und Abgründe gesehen, die Fremdheit und brutale soziale Kälte erlebt haben. Frauen, die sich aneinander festhielten, um *sein* zu können.

Ihre Töchter sprachen die »richtige« Sprache, doch auch ihre Worte blieben ungehört, waren zu leise, zu weit weg vom Geschehen in der Mitte der Gesellschaft. Sie klangen nicht relevant für jene, die nicht imstande waren, über die Grenzen ihres Horizonts hinauszusehen oder sich die Grenzen überhaupt einzugestehen. Und so blieben sie gefangen im Ignoranzpanzer, als hätten sie nie gesprochen.

Sie waren mit dem Mantra aufgewachsen, dass sie sich doppelt so sehr anstrengen müssten wie die anderen, um erfolgreich zu sein. Sie waren dazu erzogen worden, sich unbemerkt und leise durch Ungerechtigkeiten und Widerstände zu navigieren, keine Ansprüche zu erheben – schließlich waren sie immer noch die Töchter der Gäste. Der Familien, die auf gepackten Koffern saßen, deren Kinder übersetzten.

Und nun blicke ich um mich, auf meine Generation. Wir wollen uns nicht doppelt so sehr anstrengen wie andere, um den gleichen Erfolg zu haben. Wir wollen Gerechtigkeit. Eine Generation, die spricht. Die gehört wird. Und die doch schweigt. Himmelschreiend schweigt.

Denn solange wir nur sprechen, wenn wir unseren Einsatz erhalten, zu Themen, die uns zugeschrieben werden, so lange werden wir nicht wirklich gehört werden. Wir bleiben Inspizierte. Wir tragen den Panzer.

Darf eine junge, kopftuchtragende Frau, die sich seit ihrer Jugend politisch engagiert, in einer Fernsehtalkshow zum Thema Jugend und Politik sprechen? Darf sie nicht, sagte mir eine Freundin, Redakteurin der Talkshow, zu der ich eingeladen werden sollte, bevor die Idee wieder verworfen wurde. Mit welcher Begründung? Die Moderatorin habe gesagt: »Wir können hier keine Frau mit Kopftuch sitzen haben, ohne dass sie über ihr Kopftuch spricht.«

Sprechen wir überhaupt, wenn wir nur die zwei Zeilen O-Ton eines Textes sind, Komparsen einer Debatte, die uns zu *Fremden* stempelt, angestarrt durch verzerrte, verfärbte Linsen? Sprechen wir, wenn wir uns nur zu vorgegebenen Themen äußern dürfen, innerhalb eng gesetzter Grenzen?

Als ich das Gefühl redseligen Schweigens irgendwann nicht mehr unterdrücken konnte und meine Anwesenheit in Talkshows zu Islam-Themen hinterfragte, wurde mir gesagt, dass dies doch viel gebracht hätte. Beispielsweise wüssten Menschen nun, dass nicht alle kopftuchtragenden Frauen unmündig und unterdrückt seien, wie sie offenbar angenommen hatten. Ich entgegnete, dass sie diese Erkenntnis nicht erlangt hatten, weil ich es gesagt hatte, sondern weil ich *überhaupt* gesprochen hatte. Mein Sprechen an sich war das erkenntnisstiftende Ereignis – ich hätte auch über die Fortpflanzung von Marienkäfern oder die Wetterprognose für die nächsten Tage reden können. Das Entscheidende, das Unerhörte war der Anblick der sprechenden muslimischen Frau.

Doch heute, mit etwas Abstand betrachtet, denke ich, dass es doch nicht irrelevant war, worüber ich sprach. Hätte ich nämlich tatsächlich über Marienkäfer oder das Wetter gesprochen, hätte das zumindest bedeutet, dass ich nicht als Inspizierte spreche. Ich hätte frei gesprochen.

Wir sprechen nicht, wenn wir Objekte sind. Wir sprechen nicht, wenn die Themen vorgegeben sind. Wir sprechen nicht, wenn wir stellvertretend für ein Kollektiv sprechen sollen.

Wir sind sprachlos.

> *As soon as we learn words we find ourselves outside them.*
>
> Sheila Rowbotham

»Kübra, wenn du über deine Sprachlosigkeit klagst, dann weiß ich auch nicht«, sagte vor einigen Jahren ein Freund zu mir. Ausgerechnet ich, die Zugang zu so vielen Sprachrohren hatte – über Twitter, Facebook, Blogs, durch Interviews, Talkrunden und Paneldiskussion –, klagte über Sprachlosigkeit?[5] Doch all diese Privilegien verlieren ihren Wert, wenn die Menschen nur eine Person sehen, die *trotz* Kopftuch dieses und jenes tut oder sagt. Eine unterhaltsame Ausnahme, eine Kuriosität, die zur allgemeinen Unterhaltung vorgeführt wird.

Auf kein Attribut werden muslimische Frauen derart reduziert wie auf dieses Kleidungsstück. Sie werden sogar danach benannt: *Kopftuchträgerin.* Ihre gesamte Menschlichkeit, ihre gesamte Erfahrungswelt wird darauf reduziert. Ein Leben als wandelnde Informationssäule einer Religion und allem, was damit assoziiert wird, lässt sich kaum aushalten. Trotzdem ist es das Leben, das so viele Musliminnen in unserer Gesellschaft führen. Regelmäßig erhalte ich Nachrichten insbesondere von jungen muslimischen Frauen, die von ihren Erfahrungen berichten. »Die Leute nehmen mich als Person kaum wahr. Sie betrachten mich als eine Religion, als unnahbar. Das schmerzt. Ich weiß nicht, was ich tun soll«, schreibt mir eine. Sie werden nicht als Menschen wahrgenommen, sondern als Pressesprecherinnen ihrer Religion. Sie werden mit ihrem Glauben vorgestellt, bis sie irgendwann anfangen, sich selbst so vorzustellen – weil sie so lange der Inspektion ausgesetzt waren, dass ihnen das Bewusstsein ihrer eigenen Individualität, Ambiguität, Komplexität verlorengeht. Dass sie vereinnahmt werden von der Perspektive der anderen.

Vielleicht fragen Sie sich auch – wie so viele Menschen, die mich nach einem meiner Vorträge über Feminismus, künstliche Intelligenz, Netzkultur oder politische Kunst ansprechen –, weshalb ich das Kopftuch trage. Ich würde es Ihnen erklären.[6] Doch ich unterstelle, dass meine Antwort Sie womöglich nicht zufriedenstellen würde, weil Sie nicht einfach meine Gründe erfahren, sondern *wirklich verstehen* wollen. Das aber – Rechenschaft abzulegen über die eigene komplexe Existenz, über sämtliche Kontexte, Beweggründe, wechselnde Gemüter, Hochs und Tiefs, die sich einem manchmal selbst nicht richtig erschließen – kann niemand dauerhaft und täglich leisten. Jedenfalls nicht, ohne seine Menschlichkeit preiszugeben.

Die Dichterin Anja Saleh hat mir dazu einmal Folgendes gesagt:

Man kann nicht alles verstehen. Ich verstehe auch nicht, warum Leute bergsteigen. Ich muss es aber auch nicht unbedingt verstehen. Und ich glaube, genau darin liegt die Kunst: Menschen nicht zu drängen, ihnen Dinge so verständlich zu machen, dass sie es auf sich übertragen können. Wenn jemand verstehen möchte, warum ich ein Kopftuch trage, dann denke ich mir: Da ist so viel im Hintergrund.

Du kannst das nicht einfach verstehen, denn da steht ein Prozess, ein Leben dahinter: Wie willst du das verstehen?

Versuchen Sie mal, sich selbst einem anderen Menschen verständlich zu machen. Ihre ganze Person, Ihre Widersprüchlichkeit, Ihre Entwicklung, Ihre Ängste, Ihre Hoffnungen, Ihre Wünsche. Und stellen Sie sich vor, Sie müssten es immer wieder tun, täglich.

Es ist erniedrigend. Erschöpfend. Beraubend.

Vielleicht sind Sie ein gläubiger Mensch und kennen das Gefühl, wenn Sie sich einem anderen Menschen verständlich machen sollen, der jeglicher Spiritualität abgeneigt ist. Das Gefühl der Unmöglichkeit.

Ich erinnere mich an die ersten Talkshows über den Islam, die ich als Jugendliche verfolgte. Jedes Mal, wenn dort ein Imam auftrat, musste ich wegschauen, weil ich nicht mitansehen konnte, wie ein Mensch, der in muslimischen Gemeinschaften viel Ansehen genoss, vorgeführt, belächelt und erniedrigt wurde. Die Sprache dieser Sendungen ist eine säkulare, und so wurde die religiös geprägte Sprachwahl des Imams verlacht; der Inhalt dieser Sendungen ist nicht Theologie, und so wurde seine theologische Argumentation verspottet; das Ziel dieser Sendungen ist nicht Konsens, sondern Kontroverse, und so wurde die Naivität seiner Absicht, Missverständnisse über den Islam zu korrigieren, verhöhnt.

Jahre später saß ich selbst auf diesen Bühnen und erlebte, was andere vor mir erlebten. Bis Folgendes geschah: Ich war zu einer Podiumsdiskussion zum Thema Rechtspopulismus und offene Gesellschaft geladen, gemeinsam mit einem Soziologieprofessor und dem Ratsvorsitzenden der Evangelischen Kirche in Deutschland. Etwas an dieser Diskussion war anders als sonst: Während der Professor und ich auf eine akademisch geprägte, säkulare Sprache zurückgriffen, verwendete der Ratsvorsitzende Worte wie *Nächstenliebe* und *Barmherzigkeit*. Es war das erste Mal, dass ich in solchen Räumen religiöse Sprache hörte, die nicht verhöhnt wurde.

Es kam mir abstrus vor, dass ich – diejenige, die aufgrund ihrer Kleidung leicht einer Religion zugeordnet werden konnte – derart gehemmt war in der Verwendung religiöser Sprache, während sie ihm so einfach von den Lippen ging. Klar, im Gegensatz zu mir hatte er eine öffentliche religiöse Funktion. Aber: Hätte auch ich religiöse Begriffe verwenden, aus religiöser Perspektive argumentieren können, ohne dass mir die Zugehörigkeit zu dieser Gesellschaft, meine Vernunftbegabung, mein Intellekt abgesprochen worden wäre? Ich denke, nicht.

Das Erlebnis öffnete mir die Augen dafür, wie unterschiedlich in unserer Gesellschaft mit Religion und religiöser Sprache umgegangen wird. Ich stellte mir eine Frage, die uns Glaubende womöglich alle betrifft: Was macht säkulare Sprache mit unserer Spiritualität? Was hat sie mit mir gemacht?

Ich lernte meine Religion zunächst auf Türkisch kennen. In einer anderen Sprache, in Begriffen, verbunden mit Wahrnehmungen, die das Deutsche nicht kennt. Ich betete zu Gott auf Türkisch, ich weinte in dieser Sprache, ich glaubte in dieser Sprache. Doch seit dem 11. September 2001, als ich gerade dreizehn Jahre alt war, musste ich auf Deutsch Worte für diesen Glauben, diese Gebete und diese Gedanken finden. Weil irgendwelche Menschen mich angriffen, mir Fragen stellten, mich zur Rechenschaft zogen.

Ein Mensch wird auf eine besondere Weise verwundbar, wenn sein Innerstes an die Öffentlichkeit gezerrt wird. Wenn jeder sich bemächtigt fühlt, es zu inspizieren, es hierhin zu drehen, dorthin zu wenden, um anschließend und abschließend darüber zu urteilen. Die Gefühle, für die ein Mensch nie Worte finden musste, weil sie einfach Teil seiner Person waren, weil Gebete selten laut gesprochen, sondern vielmehr im Herzen gefühlt und gedacht werden – diese Gefühle sind dem nicht gewachsen. Es sind die verwundbaren Teile des Herzens, die den Glauben beherbergen. Fragil und kostbar, intim und persönlich.

Zwischen Gott und glaubendem Menschen sollte niemand sein. Doch hier drängte sich die Perspektive der anderen dazwischen. Neugierig, *gierig*.

Ich frage mich also, wie ein Mensch noch spirituell bleiben kann, wenn er seine Spiritualität fortwährend rationalisieren, erklären und verteidigen muss. Reihenweise habe ich in den vergangenen Jahren erlebt, wie Freundinnen ihre Kopftücher ablegten, weil sie sich – so erzählten sie mir in langen Gesprächen – nach dem Glauben sehnten, für den ihnen als seine sichtbaren Repräsentantinnen kaum mehr Raum blieb.[7] Der glaubende Mensch braucht Ruhe, braucht Muße, um die Liebe zu fühlen – die jedoch verliert er, wenn er auf Schritt und Tritt erklären muss, was nicht erklärbar ist, und dabei auf eine Sprache zurückgreifen muss, die dem Glauben fremd ist. Wie der jüdische Religionsphilosoph Martin Buber schrieb: »Die Existenz der Mutualität zwischen Gott und Mensch ist unbeweisbar, wie die Existenz Gottes unbeweisbar ist.«[8]

Noch dazu geht es nicht um die Neugier einzelner Menschen, sondern um eine gesellschaftliche Erwartungshaltung. Unsere Antworten auf die Fragen zu unserer Religion müssen zufriedenstellend sein, damit unsere Rechte nicht beschnitten werden.

Was macht es mit uns, wenn wir uns nackt machen müssen, damit andere uns verstehen? Und wenn wir dann, nackt, wie wir sind, mit den Augen der anderen auf uns selbst blicken? Uns selbst nicht mehr erkennen?

Es ist so, als müssten Sie einem Menschen, dem die Liebe ein fremdes Konzept ist, erklären, warum Sie Ihr Leben mit Ihrem Partner verbringen. Sie rationalisieren Ihre Liebe, stülpen ihr eine Sprache und Denkmuster über, von denen Sie hoffen, dass Ihr Gegenüber sie versteht – und nach vielen gescheiterten Erklärungsversuchen hören Sie sich schließlich seufzend einen Satz sagen wie: Ich bin mit meinem Partner zusammen, weil er mir finanzielle Sicherheit bietet.

Und so entfernen sich Ihre Worte von Ihren Gefühlen, Ihre Sprache von Ihrem Sein.

Irgendwo dazwischen – zwischen Sprache und Sein – sind Sie gefangen.

WISSEN OHNE WERT

Ich halte es nicht für erforderlich, genau zu wissen,
was ich bin.
Das Wichtigste im Leben und in der Arbeit ist,
etwas zu werden,
das man am Anfang nicht war.

Michel Foucault

Der US-amerikanische Kognitionspsychologe John Bargh untersucht in seinem Buch *Vor dem Denken*, wie unser Denken und unser Verhalten durch unterschiedliche Faktoren und Einflüsse subtil beeinflusst werden: Welchen Einfluss hat beispielsweise soziale Identität auf das Handeln und die Leistung von Menschen? Kann die soziale Kategorisierung eines Menschen beeinflussen, wie dieser sich verhält?

Er zieht eine Studie der Psychologinnen Nalani Ambady und Margaret Shih heran, die zu den Auswirkungen von zwei in den USA weit verbreiteten kulturellen Stereotypen geforscht haben. Das eine lautet: Mädchen sind *schlecht* in Mathematik. Das andere: Asiaten sind *gut* in Mathematik.

Was heißt das aber nun für US-amerikanische Mädchen asiatischer Herkunft?

Ambady und Shih untersuchten, wie fünfjährige asiatisch-amerikanische Mädchen in altersgerechten Mathematik-Tests abschnitten, die sie dafür in drei Gruppen aufteilten: Die Mädchen in Gruppe 1 bekamen vor dem Test das Bild eines asiatisch-amerikanischen Kindes beim Essen zum Ausmalen, die Mädchen in Gruppe 2 das Bild eines Mädchens, das mit einer Puppe spielt, die Mädchen in Gruppe 3 ein Landschaftsbild. Das Ergebnis: Gruppe 1 schnitt überdurchschnittlich gut, Gruppe 2 unterdurchschnittlich gut und Gruppe 3 durchschnittlich gut ab.

Bargh beschreibt in seinem Buch das Raunen, das durch das Publikum ging, als die Wissenschaftlerinnen ihre Ergebnisse präsentierten. Denn nicht nur hatten sie gezeigt, dass kulturelle Stereotype die Performance beeinflussen, sie hatten auch den Nachweis erbracht, dass Kinder diese Stereotypen schon im Vorschulalter erlernen. Spielzeuge, Fernsehserien, Musik, Unterhaltung, die Alltagsinteraktionen zwischen erwachsenen Menschen, aber auch unsere Sprache – all diese Dinge haben einen Einfluss auf die frühe Ausprägung von Stereotypen, die das Selbstbild und in der Folge das eigene Verhalten und Leistungsvermögen beeinflussen. Die Bilder, die sie prägen, sind in Menschen also schon verankert, bevor sie sich überhaupt bewusst mit ihnen auseinandersetzen können. Verzerrte Fremdbilder werden zu Selbstbildern und definieren den Horizont ihrer Möglichkeiten. Die Grenzen ihres Seins.[1]

Welchen Bildern und Stereotypen sind Menschen in *unserer* Gesellschaft ausgesetzt? Was muss Ihr Kind wissen? Welche Fragen muss es beantworten können? Mit welchem Wissen muss es ausgestattet sein, um *sein* zu dürfen?

Muss es beantworten können, warum seine Augen so geformt sind, wie sie es sind? Muss es die Struktur und Farbe seiner Haare erklären können? Muss es begründen, weshalb seine Haut die Farbe hat, die sie hat? Weshalb seine Eltern so glauben, sich so kleiden oder lieben, wie sie es tun?

Viele Kinder müssen das nicht. Wenn ihre Haut creme- oder beigefarben ist und »hautfarben« heißt, sich also *von selbst erklärt*. Wenn ihre Augen rund sind und damit der weißen Norm entsprechen. Diese Kinder müssen nicht die Beziehung und das Sexualleben ihrer Eltern erklären. Sie müssen nicht wissen, wo ihre Eltern und Großeltern und Urgroßeltern und Ururgroßeltern geboren wurden und warum sie nicht dorthin zurückgehen. Sie müssen nicht erklären, warum sie nicht woanders sind, sondern hier.

Es sind die anderen Kinder, die Kinder der *Anderen*, die nicht dieser Norm entsprechen. Sie müssen von klein auf lernen, solche Fragen zu beantworten, und ihr Erfolg in dieser Gesellschaft ist daran gekoppelt, wie gut und befriedigend sie das tun. Also eignen sie sich Wissen an, perfektionieren ihre Antworten, die mit der Zeit immer eloquenter werden. Immer beengender. Immer demütigender.

Dieses Wissen, das sie sich aneignen, prägt sie, es formt sie zu anderen Menschen, als sie ohne die Fragen geworden wären. Wer wären Sie heute, hätten Menschen Sie von klein auf permanent nach dem Grund für Ihren Hautton gefragt? Ihrer Haarstruktur? Wer wären Sie, wenn Ihre Antworten darauf eine Bringschuld erfüllen, aber keinerlei Wertschätzung erfahren? Zu welchen Erwachsenen werden demgegenüber Kinder, die gefragt werden, weshalb der Mond rund ist, warum Bäume nach oben hin wachsen und ob Pinguine Vögel sind? So häufen Menschen Wissen an, von dem sie meinen, dass sie es haben müssen, sonst würden sie schließlich nicht ständig danach gefragt werden. Trotzdem zählt dieses Wissen nicht als *Wissen*. Es ist der Preis, den sie für ihre Andersartigkeit zahlen müssen. Das Durchlaufen der Inspektion, dieser Fragerei, der Gesinnungstests, bringt ihnen keine gesonderte Anerkennung. Ihr Wissen ist Wissen ohne Wert.

Ich war gerade zwanzig Jahre alt geworden und verbrachte für ein Praktikum einen Sommer in London. Die Menschen dort stellten mir beim Kennenlernen andere Fragen, als ich es aus

Deutschland gewohnt war. »Warum trägst du ein Kopftuch?«, gehörte beispielsweise nicht zum Smalltalk. Stattdessen wurde ich gefragt, was ich studiere und was mich, Kübra, interessiert, welche Musik, welche Filme. Die Menschen interessierten sich für meine Person, nicht für eine Repräsentantin des Islams. Sie interessierten sich für mich, nicht für ihre Projektionen auf mich.

Es war eine befreiende, aber auch verwirrende Erfahrung. Schließlich war für mich Smalltalk mit fremden Menschen nicht-muslimischen Glaubens in Deutschland immer gleichbedeu-tend gewesen mit der Inspektion meiner Herkunft, meines Glau-bens, meines Verstandes, meiner Intelligenz, meiner Familie, meiner Psyche, meines Privatlebens. Ich hatte keine Vorstellung davon, was jemanden, der nicht muslimisch war, sonst an mir interessieren könnte. Gewöhnt daran, mich auf eine bestimmte Weise offenbaren zu müssen, wusste ich nicht, was ich über mich sonst erzählen sollte. Wenn ich nun tatsächlich *ich* sein durfte: Wer war ich eigentlich? Und wofür interessierte ich mich?

Ich wusste keine Antwort. Unbeholfen stolperte ich in die Freiheit. Und genoss sie vollends.

> *als migrantinnen*
> *aus aller herren länder*
> *als experten in sachen rassismus*
> *als betroffene*
>
> May Ayim

»Manchmal sitze ich da und denke mir, ich möchte zurück in mein Heimatland«, sagt eine junge syrische Frau – den Tränen nahe. Ich bin zum Vortrag eingeladen und sitze in einer diversen Runde junger Frauen aus ganz Deutschland – einige weiße Deut-sche, andere sind vor wenigen Jahren nach Deutschland geflüchtet, wieder andere leben hier in zweiter, dritter Generation. Die junge syrische Frau schildert ihre Odyssee durch das deutsche Bildungssystem seit ihrer Ankunft vor knapp drei Jahren. Wie sie seit Jahren allen und allem trotzend versucht, ihr Abitur zu machen, um endlich studieren zu können. Welche bürokratischen Hürden, aber auch Menschen sich ihr in den Weg stellen. »Nicht einmal alle Deutschen können studieren«, habe ihr ihre Deutschlehrerin gesagt. Warum ausgerechnet sie, das »Flüchtlingsmädchen«?

Dann berichtet sie von den Fragen, die ihr gestellt werden. Über den Islam und darüber, warum sie zwar kein Kopftuch trüge, aber trotzdem kein Schwein esse, keinen Alkohol trinke. Je länger sie spricht, desto verzweifelter klingt sie.

Eine andere junge Frau aus der Runde ist vor einigen Jahren aus Afghanistan nach Deutschland geflüchtet und erzählt, wie ihre Lehrerin sie als rückständig bezeichnet und auslacht, weil sie während des Ramadan fastet. Sie berichtet von erniedrigenden Gesprächen, an deren Ende sie nur noch sagt: »Sie haben recht. Ja, Sie haben recht.«

Schließlich erzählt sie, wie ein Mitschüler aus ihrer Integrationsklasse sich mit der Lehrerin über den Islam gestritten habe. Als am nächsten Tag ein Sechzehnjähriger bei einem Anschlag in München neun Menschen tötete, war die Lehrerin sich sicher, dass es sich um diesen Schüler handeln musste. Sie erklärte der Klasse, dass sie die Polizei verständigen würde. Die Klasse protestierte. Als sich herausstellte, dass der Täter kein Muslim war, sondern ein Christ, sagte die Lehrerin, er sei sicherlich psychisch gestört. »Und wenn es *doch* mein Mitschüler, wenn es ein geflüchteter Muslim gewesen wäre, hätte sie dann auch gesagt, er ist psychisch gestört?«, fragt die junge Frau in die Runde. »Dürfen nur Menschen in Europa psychisch gestört sein? Was ist mit uns? Denen, die Blut gesehen haben? Deren Eltern, Geschwister oder Kinder vor ihren Augen ermordet wurden? Und warum sind nur *wir* Terroristen – und nicht auch die Amerikaner, deren Truppen in meinem Land, in Afghanistan, töten? Sind es keine Menschen, die sie töten? Sind wir Tiere?«

Ihre Worte hallen im Raum wider. Betretenheit.

Dann erzählt sie von ihren Cousinen und Cousins, die sich an den Anblick des Todes gewöhnt haben, für die eine Leiche am Straßenrand eine Nebensächlichkeit des Alltags ist. Von ihrer Tante, die auf dem Weg zum Bäcker erschossen wurde.

Auch sie ist schließlich den Tränen nahe. Ich sehe diese beiden jungen Frauen und ihre ebenfalls geflüchteten Freundinnen an. Sie sind höchstens siebzehn, achtzehn Jahre alt. Ihre Leben sind fundamental anders als die der anderen Frauen in der Runde. Während die einen sich mit ihrem beginnenden Studium, dem Eintritt in einen neuen Lebensabschnitt beschäftigen, sind die anderen, die dem Krieg entflohen sind, gezwungen, sich mit Weltpolitik, Islam und Migrationsdebatten auseinanderzusetzen. Es ist nicht ihre Entscheidung. Und ich kann sehen, wie sie zu Menschen gemacht werden, die sie nicht sein wollen.

Sie erinnern mich an meine eigene Jugend und die meiner geflüchteten Freundinnen – obwohl ich selbst weder einen Krieg erlebt habe noch geflüchtet bin. Sie erinnern mich daran, wie ich Schritt für Schritt, Interaktion um Interaktion meine mir zugeschriebene Rolle in dieser Gesellschaft akzeptierte. Ich war nicht mehr nur ich, Kübra. Ich war auch eine Muslimin und hatte damit jede Frage zu beantworten, die nichtmuslimischen Menschen zum Thema Islam einfiel. Über die Kriege im Irak und in Afghanistan, über Terrorismus, über Zitate aus dem Quran – zu alldem sollte ich Stellung beziehen. Immer mehr ließ ich mich meiner Individualität berauben. Beantwortete bereitwillig jede Frage, recherchierte, machte es mir zur Aufgabe, informiert zu sein.

In einer meiner ersten Erinnerungen an diesen Druck bin ich dreizehn Jahre alt. Es war kurz nach dem 11. September 2001. Ich saß mit meiner jüngeren Schwester in der U-Bahn, als sich eine Frau mittleren Alters zu uns setzte. Nach langem Mustern fragte sie mich, ob ich mein Kopftuch freiwillig trage. »Ja, natürlich«, antwortete ich. »Nein«, erwiderte sie. Dann hielt sie uns einen Vortrag darüber, wie unterdrückt wir seien, und befragte mich zur politischen Situation im Iran, Irak, in Saudi-Arabien und anderswo. Länder, die ich nie besucht hatte, die ich nicht kannte. »Damit habe ich nichts zu tun«, rief ich, während sie auf mich einredete. »Das ist nicht mein Islam«, sagte ich.

Unter ihrem Geschrei stiegen meine Schwester und ich an der nächsten Station in einen anderen Wagen um.

Mein Herz klopfte wild. Ich glaubte, ich hätte versagt. Warum war ich nicht ausreichend über die Situation in diesen Ländern informiert? Scheinbar musste ich das als Muslimin sein, sonst hätte sie mich dazu nicht befragt. Es war, als hätte ich nicht ausreichend für eine Prüfung gelernt, die ich hätte meistern müssen.

Jede Frage, die mir fortan gestellt wurde, verstand ich als einen Auftrag. Iran, Irak, Afghanistan – ich ließ mir von wildfremden Menschen vorschreiben, worüber ich informiert zu sein, was ich zu wissen hatte, nur aufgrund eines Stückes Stoff auf meinem Kopf, nur aufgrund meines Glaubens.

Die Fragen der anderen prägten, was ich über meine eigene Religion lernte, sie drängten meine eigenen Fragen, meine eigenen Interessen, meinen ureigenen Wissensdurst in den Hintergrund. Ich eignete mir Wissen darüber an, weshalb das Morden und Treiben dieser Unmenschen im Namen meines Glauben keine Grundlage in meinem Glauben findet, um mich verteidigen zu können – statt mich mit den Fragen der Religion zu beschäftigen, die eigentlich für mich als Individuum wichtig gewesen wären: Charakterbildung und Herzensbildung. Themen, die mich nicht zwangsläufig zu einer besseren Verteidigerin oder Pressesprecherin meiner Religion machen würden, aber zu einem besseren Menschen mit einem gesunden Herzen.

»Macht euch nicht nackt, wenn ihr es nicht wollt«, sage ich zu den jungen Frauen in der Runde, über die ich sonst nichts weiß, weil wir ausschließlich über das gesprochen haben, was andere auf sie projizieren. »Kein dahergelaufener Mensch hat das Recht, etwas über eure Fluchtgeschichten, euren Glauben, eure Spiritualität, eure intimsten Gefühle zu erfahren. Ihr könnt darüber sprechen, wenn ihr wollt. Ihr müsst es aber nicht tun, wenn ihr nicht wollt.«

Und ich frage mich: Was würdest du tun, denken, schreiben, worüber würdest du sprechen, wozu würdest du arbeiten, wenn es auf dieser Welt keinen Hass, keine hasserfüllten Menschen, keinen Extremismus, keinen Krieg, keine Diskriminierung gäbe? Was ist es, was *dich* bewegt?

Stille. Stille betritt den Raum und beherrscht ihn.

Manchmal kann selbst der Kampf gegen die verzerrten Fremdbilder diese Bilder manifestieren. Manchmal kann selbst der Widerstand gegen Lebensumstände eine Anpassung daran sein. Weil auch der Widerstand zur Gewohnheit wird. Und vergessen wird, was die eigentlichen Ziele des Widerstands waren und sein sollten: die tatsächliche Freiheit, Menschlichkeit, Facettenreichtum.

So sind es nicht nur Unbenannte, die die Käfige der Benannten aufrechterhalten. Auch die Benannten selber erhalten ihre Käfige. Indem sie den Bildern entgegentreten, die sich die Benennenden von ihnen machen, zeichnen sie selbst kollektive Bilder von sich, die weniger dämonisierend sind, positiver – aber auch in diesen Bildern kommen sie in ihrer Individualität und Menschlichkeit nicht vor. Das Kollektiv wird anders benannt, aber es befreit sich nicht von der Benennung als solcher.

Als die muslimische US-amerikanische Journalistin Noor Tagouri 2016 im amerikanischen *Playboy* in der Reihe »Renegades«
porträtiert wurde – voll bekleidet, mit Kopftuch und in einer
selbstbewussten Pose, die so auch in der *New York Times* oder in
einem muslimischen Modemagazin hätte erscheinen können –,
bebte die muslimische Social-Media-Szene. Die Diskussionen
drehten sich jedoch mehrheitlich nicht um das Individuum
Noor Tagouri oder das Interview, das sie gegeben hatte, sondern
darum, dass eine sichtbar muslimische Frau im *Playboy* abge-
bildet wurde. Darf *die* muslimische Frau das?

Um das öffentliche Bild von »dem Islam« geradezurücken,
sind Muslim*innen, die in der Öffentlichkeit auftreten, einer
übertriebenen Erwartungshaltung seitens der muslimischen
Gemeinschaften ausgesetzt. Einer nie klar formulierten, explizit
ausgesprochenen Erwartungshaltung, die jedoch stets in der Luft
liegt. Schließlich – ob sie es wollen oder nicht, ob sie die Rolle
explizit abweisen oder nicht – werden Muslim*innen, die in der
Öffentlichkeit sprechen, als Sprecher*innen *des* Islams gehan-
delt.

Wenn fast zwei Milliarden Menschen zu einer homogenen
Masse geformt werden, ist es nur eine Frage der Zeit, bis ihr me-
diales Bild zu einer Obsession wird. Wenn schon ein reduziertes
Bild von ihnen gezeichnet wird, dann wollen sie genau wissen,
von wem und wie sie repräsentiert werden: ohne Kopftuch, mit
Kopftuch, mal so oder mal so gebunden, mit Bart, ohne Bart, mit
dieser oder jener nationalen Perspektive, nach dieser oder jener
Rechtsschule, schiitisch oder sunnitisch, wahhabitisch oder su-
fistisch, kulturell oder praktizierend.

Auf jungen Frauen – insbesondere, wenn sie das Kopftuch
tragen – lastet dieser Druck der Repräsentation expliziter. Jede*r
fühlt sich befähigt, ein Urteil über sie zu fällen. Trägt sie ihr Kopftuch unter dem Kinn gebunden? Dann ist sie konservativ. Trägt

sie es geschwungen um den Kopf, als Turban, dann ist sie progressiv. Trägt sie Röcke, dann gehört sie zu dieser Gemeinschaft. Trägt sie eng sitzende Hosen, dann gehört sie zu jener. Hat sie ihr Kopftuch abgelegt, hat sie nie eines getragen – was auch immer sie tut oder trägt, wie auch immer sie existiert, sie wird inspiziert, beurteilt, verurteilt. Kategorisiert, katalogisiert, ihrer Vieldeutigkeit beraubt, entmenschlicht – nicht nur von der Gesellschaft, die sie erklärbar machen will, sondern auch von den muslimischen Gemeinschaften, die an sie die Erwartung richten, den Islam zu erklären und »gebührend« zu repräsentieren. Ein unmögliches Unterfangen.

2013 stellte eine Gruppe junger Musliminnen, die sich »Mipsterz« nannten, ein zweiminütiges Musikvideo online, in dem sie ihren modebewussten, popkulturell geprägten Lebensstil zelebrierten. Junge Frauen auf Skateboards, lachend und tanzend – wochenlang wurde das Video Sequenz für Sequenz in den sozialen Medien diskutiert. Darf sich *die* muslimische Frau so kleiden, so bewegen, zu so einer Musik?

Einige der Motive von Kritik in solchen Zusammenhängen halte ich für legitim und wichtig, beispielsweise wenn es um den Sexismus von Magazinen wie dem *Playboy* geht oder um die Tatsache, dass die Diversifizierung von Models bei Mode-Kampagnen nicht dem Bestreben politischer Inklusion geschuldet ist, sondern der Entdeckung der Kaufkraft nichtwestlicher beziehungsweise nichtweißer Konsumenten, während Menschen in Bangladesch und anderswo bei der Produktion dieser Kleidungsstücke weiterhin massiv ausgebeutet werden. Diversifizierung in der Werbung wird damit zu nichts anderem als einem Feigenblatt. Doch um Fragen von Macht und Ethik geht es den Kritisierenden häufig gar nicht. Stattdessen nehmen wir Muslim*innen einander – und insbesondere muslimischen Frauen – Stück für Stück den Raum für Individualität, für die Freiheit der

Fehlerhaftigkeit. Die Anforderung, in jeder Situation »vorbild-lich« zu handeln, makellos aufzutreten, durchdringt unseren Alltag und nimmt uns die Menschlichkeit. Denn erst unsere Makel und Eigenarten machen uns zu Menschen.

Gleichzeitig verhindert der Druck der Makellosigkeit die Dis-kussion himmelschreiender Missstände. Wenn beispielsweise prominente Männer in religiösen Ämtern ihre Macht ausnut-zen, um sexualisierte Gewalt zu vertuschen und Anhängerinnen psychisch unter Druck zu setzen. Eine offene Diskussion über diesen Missbrauch wird im Keim erstickt, und wer es doch ver-sucht, wird als »Feminazi«, als verwestlicht oder illoyal ver-schmäht.[2]

Ein anderes Beispiel für die Folgen reaktiver Obsession mit dem öffentlichen Bild der eigenen Gruppe ist die Entwicklung des Stereotyps der starken Schwarzen Frau (*strong black woman*) in den USA, das Schwarze Frauen als von Natur aus stark, auf-opfernd, resilient und selbstständig fasst, vor allem in Filmen und in der Populärkultur. Studien zeigen, wie dieses vermeintliche positive Bild einen gesunden Umgang mit Stress verhindern und Depressionen verschlimmern kann.[3] Besonders frappierend ist in diesem Kontext, dass eine beachtliche Zahl des medizinischen Personals in den USA glauben, Schwarze Menschen hätten ein geringeres Schmerzempfinden, was sich auf ihre medizinische Behandlung auswirkt.[4] Die Autorin und Schauspielerin Robin Thede nahm sich des Themas in einem satirischen Musikvideo an, in dem sie über »Weak Black Women« rappte und damit die überhöhten, letztlich entmenschlichenden Erwartungen an Schwarze Frauen demonstrierte.[5]

Der Lyriker Max Czollek fordert in seinem Buch *Desintegriert euch!*, dass wir »wegkommen von der Idee der identitären Zu-gehörigkeit zu einer Gruppe, von der Idee, wir seien ganz und müssten unsere Ganzheit verteidigen«. Jeder Mensch bestehe aus vielen Teilen, die sich immer wieder verschieben würden. Zu glauben, es gäbe eine »ungebrochene Identität«, sei eine »gefährliche Illusion«[6].

Es ist unter anderem ein berühmtes Zitat des armenisch-türkischen Journalisten Hrant Dink, auf dem Czollek seinen Gedanken aufbaut: »Wenn du deine Identität nur durch ein Feindbild aufrechterhalten kannst, dann ist deine Identität eine Krankheit.«[7]

Deshalb darf nicht *noch* eine Generation junger Menschen zu Pressesprecher*innen ihrer zugewiesenen Kategorie degenerieren. Deshalb dürfen wir nicht *noch* eine Generation dazu erziehen, ihre Lebensaufgabe darin zu sehen, die perfekten Repräsentant*innen ihrer Gruppe zu sein, jederzeit bereit, für ihre Existenzberechtigung zu debattieren und die schier unendliche Gier des Publikums nach noch mehr Provokation zu bedienen.

Als ich das Problem der Repräsentation auf Instagram thematisierte, schrieb mir eine Poetry-Slammerin diese Nachricht:

> Ich habe immer das Gefühl, dass ich als Person mit Migrationshintergrund erst mal alles erklären muss: Warum ich hier bin und warum ich ein Recht darauf habe. Kennst du diesen Druck? Dabei fühle ich mich mittlerweile in einem schöpferischen Teufelskreis, weil ich das Gefühl habe, dass diese Themen (Antirassismus, Migrationserfahrungen etc.) einfach von mir erwartet werden.[8]

Individualität für sich einzufordern und auszuleben ist kein Aufruf, unsolidarisch zu sein. Es geht im Gegenteil darum, anderen Marginalisierten Wege dafür zu ebnen, ebenfalls ihre individuellen Geschichten zu erzählen. Es geht darum, so durch die Welt zu gehen und die eigenen Träume zu verfolgen, dass diskriminierende Strukturen nicht verstärkt, sondern angefochten werden. Eine Frau an der Spitze eines Unternehmens schafft nicht automatisch mehr Geschlechtergerechtigkeit. Ein Mensch an der Spitze eines Unternehmens, der gegen ungerechte, sexistische Strukturen kämpft, viel eher.

Manchmal gelingt es mir, den eigenen Vorsätzen gerecht zu werden, oft scheitere ich auch, ob aus Unzulänglichkeit oder Unaufmerksamkeit oder weil mir schlicht die Kraft und Energie fehlt. Denn es ist nicht einfach. Wer neue Wege geht, weiß nicht, wohin sie führen. Welche Gefahren lauern. Wie er sich hätte vorbereiten können, welche Weichen er hätte stellen müssen. Deshalb sind Fehler unausweichlich. Doch die Zielsetzung ist der Schlüssel: das eigene Leben so zu führen, dass es nicht durch Missstände diktiert wird, aber auch ohne Gewöhnung an die Missstände und solidarisch denen gegenüber, die nicht das Privileg haben, ihnen zu entkommen.

2017 erhielt die AfD bei den Bundestagswahlen 12,6 Prozent der Stimmen. Zum ersten Mal seit Gründung der Bundesrepublik saß eine rechtsextremistische, offen rassistische Partei im Bundestag.[9] Damals schrieb ich einen Text, der wenige Wochen vor der Wahl einsetzt:

Mein Herz pocht. Meine Brust verengt sich. Ein Gefühl der Beklommenheit steigt in mir auf. Der Sommer ist vorbei. Ich bin nach Wochen des Reisens endlich wieder in Hamburg gelandet. Am Flughafen steigen wir in die Bahn. Vorsichtig versuche ich die Gesichter der Menschen um uns herum zu deuten. Sind sie freundlich oder abweisend? Was denken sie über mich? Über meinen Mann? Unser Kind?

Wenige Minuten zuvor standen wir an der Passkontrolle und wurden von einem Polizeibeamten begrüßt, der uns anwies und dabei fast schrie: »Alle ohne deutschen Pass, da anstellen!« Immer wieder lief er durch die Reihen und rief schließlich nur noch: »Türken dahin! Türken dahin!«

Er schaute uns eindringlich an, doch wir blieben stehen, unsere deutschen Pässe in den Händen. Dann ging er weiter durch die Reihen, fuchtelte wild mit den Armen, als stünden dort nicht Menschen, sondern lästige Fliegen, die er loswerden musste.

Die Menschen sehen uns anders an, als wir es auf unseren Reisen erlebt haben. Manche blicken abwertend, andere hämisch. Ich schaue zu meinem kleinen Sohn, der ganz unvoreingenommen die Menschen um sich herum beobachtet, ihren Blickkontakt sucht, bei manchen findet, doch von vielen ignoriert wird.

Ich fühle mich unwohl. Hier. In meiner Geburtsstadt. Meiner Heimatstadt.

Ich drehe mich zu meinem Mann um und frage mich, ob es ihm auch so geht oder ob ich zu empfindsam bin. Ihn können die meisten Menschen dem Aussehen nach weder einem Land noch einer Religion zuordnen. Doch wenn wir gemeinsam unterwegs sind, erlebt er eine andere Gesellschaft, als wenn er alleine ist.

Schließlich sage ich leise, flüsternd: »Ich fühle mich unwohl.« Er beugt sich vor und sagt: »Ich auch.« Ich bin erleichtert. Erleichtert, bestätigt zu bekommen, dass es nicht an mir liegt, dass ich nicht »überempfindlich« reagiere.

Und doch ist an diesem Tag nichts Aufsehenerregendes geschehen. Niemand hat mich beschimpft oder angeschrien. Wäre ich nicht gerade wochenlang durch die Welt gereist, wäre es ein ganz normaler Tag.

Denn erst im Kontrast des Erlebens wird das Schwere spürbar, ja unerträglich, an das ich mich in den Tagen danach wieder gewöhnen werde. Weil jenes Unbehagen zu einem Teil von uns wird.

Einige Wochen später sitze ich zusammen mit Redakteuren einer großen deutschen Wochenzeitung vor dem Fernseher, um die Ergebnisse auszuwerten. »Wir werden sie jagen«, ruft Alexander Gauland, Spitzenkandidat der AfD, als die Ergebnisse verkündet worden waren. Die Bundesregierung solle sich warm anziehen und: »Wir werden uns unser Volk zurückholen.«[10]

Ein kalter Schauer läuft mir über den Rücken. Auf alles bin ich vorbereitet gewesen, aber nicht auf die Wucht, die Kälte dieser Worte. Als ich dann durch die Straßen gehe, frage ich mich, wer von den Menschen um mich herum für diese Partei gestimmt hat, deren Programm der Hass auf marginalisierte Gruppen und Minderheiten ist. Ich frage mich, wer von denen, die an mir vorbeilaufen, gegen die Zugehörigkeit von Menschen wie mir gestimmt hat.

Ein Tag vergeht. Zwei Tage vergehen. Meine Augen hören auf, nach Antworten zu suchen. Ich habe mich an die Kälte gewöhnt.

Bis ich zufällig diese Worte des jüdischen Philosophen Rabbi Abraham Joshua Heschel lese: »Ich würde über Individuen sagen, dass ein Individuum stirbt, wenn es aufhört, überrascht zu sein. Ich bin jeden Morgen aufs Neue überrascht, wenn die Sonne scheint. Wenn ich eine böse Tat sehe, bin ich nicht indifferent. Ich gewöhne mich nicht an die Gewalt, der ich begegne; ich bin immer noch von ihr überrascht. Deshalb bin ich dagegen, deshalb kann ich ihr meine Hoffnung entgegensetzen. Wir müssen lernen, überrascht zu sein, nicht uns anzupassen. Ich bin die am schlechtesten angepasste Person der Gesellschaft.«[11]

Heschels Aussage lässt mich an etwas denken, was der

indische Philosoph Jiddu Krishnamurti gesagt hat: »Es ist kein Zeichen von Gesundheit, an eine von Grund auf kranke Gesellschaft angepasst zu sein.«

Ich habe keine Ahnung, wie das gehen soll. Überrascht bleiben. Sich nicht an Unrecht gewöhnen. Solidarisch bleiben, wachsam. Und trotzdem: Leben. Freude am Leben haben. Den eigenen Weg gehen.

Aber ich denke: In dem Moment, in dem ein Mensch sich dieses Ziel setzt, beginnt sein Weg sich zu ebnen. In dem Moment, in dem er sich der Bilder bewusst wird, die ihn prägen, und beschließt, sich dieser Prägung nicht zu ergeben, beginnt sein Weg sich zu ebnen. In dem Moment, in dem ein Mensch sich der Entmenschlichung bewusst wird und den Entschluss fasst, sich ungebeten und unerlaubt Raum für seine Individualität zu nehmen, ohne anderen die Solidarität zu kündigen, beginnt sein Weg sich zu ebnen.

DIE INTELLEKTUELLE PUTZFRAU

Die beste Art, über ein Problem Bescheid zu wissen,
ist, ein Teil des Problems zu sein.

Anand Giridharadas

Ich bin Teil vieler Probleme gewesen in meinem Leben. Und habe mit bester Absicht zahlreiche Fehler gemacht. Insbesondere solche, die im Kontext einer liberal-kapitalistischen Gesellschaft nicht als Fehler gelten, sondern als erwünschtes, rationales Handeln.

Es war ein Abendessen unter feministischen Frauen, als mich eine etwas jüngere weiße Frau, die ebenfalls in der Öffentlichkeit stand, an mein früheres Ich erinnerte. Und an mein Unbehagen damals. Für einen Moment glaubte ich in ihr jemanden zu erkennen, mit dem ich dieses Gefühl teilen könnte. So fragte ich sie, ob sie das Unbehagen darüber kennt, dass ihr die Macht verliehen wird, stellvertretend für so viele andere Menschen in ein Mikrofon zu sprechen.

Ich war Anfang zwanzig, als mich eine öffentlich-rechtliche Rundfunkanstalt zu einer Fernsehdebatte einlud. Der Titel war schön knallig. Eine Prise Islam hier, eine Prise deutsche »Leitkultur« da. Eigentlich hätte ich absagen sollen, aber ich glaubte damals, ich könnte tatsächlich Vorurteile aus dem Weg räumen. Und ich ahnte nicht, dass ich Teil eines Geschäftsmodells war: der Angst vor dem Islam. Die Liste der anderen Gäste sah okay aus, nur einer, damals noch nicht besonders prominent, inzwischen ein geübter Talkshow-Gänger, versprach dicke Luft. Sein Beitrag hatte bis dahin darin bestanden, in Talk-Runden den anderen ihre Ängste und Befürchtungen über »den Islam« zu bestätigen. Die meisten in meinem Freund*innenkreis rieten mir deshalb ab. »Es lohnt sich nicht, mit dem zu diskutieren«, sagten sie. Nur ein Bekannter, der einzige, der ihn persönlich getroffen hatte, war anderer Meinung. Er hatte ihn kürzlich interviewt und fand, mit dem lasse sich durchaus diskutieren. Klingt doch gut, dachte ich. Er muss ja nicht meiner Meinung sein, Hauptsache, er ist an einem ernsthaften Austausch interessiert. Ich fand, ich hatte einen guten Plan: Ich wollte mich vorab mit ihm auf einen Kaffee treffen, dann würden wir, wenn ihm wirklich etwas an dem Thema lag, mit unserer Diskussion die Sendung bereichern. Kontrovers konnte es ja werden, solange es dabei auch konstruktiv zuging.

So weit, so naiv. Wir trafen uns also tatsächlich vor der Sendung, und ich erlebte einen wunderbar angenehmen Gesprächspartner. Wir sprachen einerseits über die Probleme der muslimischen Gemeinschaften in Deutschland, andererseits kritisierten wir Islamophobie[1] und Rassismus. Wir verstanden uns gut, fand ich. Bis wir im Studio saßen. Die Kamera läuft.

Auf eine Frage des Moderators hin komme ich auf Islamophobie zu sprechen. Ach, das sei doch kein Thema, behauptet mein eben noch so aufgeschlossener Gesprächspartner unwirsch. Überrascht erkläre ich, warum Islamophobie natürlich ein relevantes Thema sei, als er mir entgegnet: »Islamophobie klingt wie eine Krankheit. Wollen Sie damit sagen, dass alle Deutschen krank sind?«

Fassungslos starre ich ihn an. Wie auf einen Menschen reagieren, der sich vor laufender Kamera in eine völlig andere Person verwandelt? Hinter mir grölen die Zuschauer, der Moderator greift nicht ein. Fortan wird hinter mir gepöbelt, sobald ich zum Reden ansetze. Irgendwann drehe ich mich empört zum

Publikum um. Im Fernsehen ist später nichts davon zu sehen oder zu hören.

Nach der Sendung kann ich das Erlebte noch immer nicht ganz begreifen, gehe auf ihn zu und spreche den Islamophobie-Krankheit-Vergleich an. Das sei doch polemisch und destruktiv gewesen. Wohin sollte der Kommentar denn führen, frage ich. »Ja«, sagt er und nickt. »War vielleicht ein Fehler.« Dann dreht er sich um und bedient sich am Buffet.

»Die Sendung war doch ganz okay«, sagten mir später Freund*innen. Und es sei ja normal, dass sich Menschen vor und hinter der Kamera anders verhielten. Mir aber widerstrebte diese abgebrühte Skrupellosigkeit: Wie konnte jemand bei sensiblen Themen bewusst polemisieren oder gar wissentlich etwas Falsches sagen? War ihm nicht klar, dass auf Worte Taten folgen?

Mein Gegenüber war jemand, der der deutschen Öffentlichkeit den Islam »erklärte«, indem er ihre Ängste bestätigte. Ich dagegen versuchte, Ängste abzubauen. Doch im Prinzip spielten wir die gleiche Rolle mit umgekehrten Vorzeichen: Wir waren beide gezwungen, für alle Muslim*innen zu sprechen. Wir erklärten beide dem Publikum der Unbenannten, was sich hinter den Glaswänden verbirgt. Er verbreitete Panik. Ich besänftigte. Aber wir hielten beide die Gefangenschaft am Leben.

Wer hatte mir diese Rolle verliehen? Auch ich hätte Angst verbreiten und dafür Applaus und Anerkennung ernten können. Niemand in diesem Medienzirkus überprüfte meine Aufrichtigkeit. Niemand hätte mich davon abhalten können, die mir zugestandene Autorität zu missbrauchen.

Daran dachte ich, als ich der jungen Frau die Frage nach dem Unbehagen angesichts der eigenen Machtposition stellte. Sie antwortete, das sei mal wieder typisch Frau. Ein weißer alter Mann würde sich eine solche Frage nie stellen. Und sie hatte recht. Wer seine Autorität für unerschütterlich hält, wird sich eine solche

Frage nicht stellen. Aber ich glaube an meine eigene Begrenztheit. An meine *aciziyet.*

Einer meiner Fehler war, jahrelang dieses Spiel mitzuspielen, bei dem es darum geht, Menschen kollektive Etiketten anzuheften. Die Rolle meiner Antagonisten bestand darin, die kollektiven Zuschreibungen aus Insiderperspektive zu bestärken. Meine Rolle bestand darin, als Vertreterin derjenigen zu sprechen, die sich gegen die Zuschreibungen wehren. Und die Frage, die uns die deutsche Öffentlichkeit stellte, war: Wer von euch hat nun recht? – so als würde eine Seite lügen, während die andere im Besitz der absoluten Wahrheit ist. Doch sie existiert nicht, die einzige Wahrheit. Ja, es gibt Frauen, die zum Kopftuchtragen gezwungen werden. Ja, es gibt Frauen, die das Kopftuch freiwillig tragen. Ja, es gibt Muslim*innen, die Terroranschläge verüben. Ja, es gibt Muslim*innen, die gegen den Terrorismus kämpfen. Ja, es gibt Schwarze Menschen, die schlecht in der Schule sind. Ja, es gibt Schwarze Menschen, die Wissenschaftler*innen, Professor*innen, Universitätsdirektor*innen sind. Die Frage ist: Was wird zur Ausnahme erklärt? Was zur Regel?

Der Kampf um absolute Wahrheiten ist zu einer Aufmerksamkeitsmaschine geworden. Es ist heute möglich, seinen Lebensunterhalt damit zu bestreiten, Islamkritiker*in zu sein. Doch dieser Kampf um abschließende Wahrheiten über eine ganze Bevölkerungsgruppe ergibt keinen Sinn. Wir stagnieren. Als Gesellschaft. Und die Missstände? Sie bestehen fort.

Und so saß ich in diesen Sendungen und sagte: *Ja, aber ...* Ich versuchte, auf Ursachen von Problemen hinzuweisen, ich versuchte, stigmatisierende Diskussionen zu konstruktiven Diskussionen zu machen. Meine Aufgabe war die einer intellektuellen Putzfrau, die den anderen vergeblich ihren Bullshit hinterherräumt, die mit Zahlen, Daten, Fakten und gesundem Menschenverstand dagegenhält. Einen Großteil meines bisherigen

Erwachsenenlebens habe ich damit verbracht, Schadensbegrenzung zu betreiben. War immer wieder auf Abruf bereit, dem nächsten rassistischen Hirnriss entgegenzutreten, der uns als intellektuelle Debatte oder »legitime Islamkritik« verkauft wurde.

Ganz egal, was unsere eigentlichen Berufe sind: Feminist*innen, Umweltaktivist*innen, insbesondere Frauen of Color, die sich öffentlich positionieren, haben permanent bereitzustehen und alles andere – ihr Privatleben, ihre Arbeit – niederzulegen, um in die Bresche zu springen. Laura Dornheim beispielsweise ist Managerin in einem Digitalunternehmen und engagiert bei den Grünen. Auch sie gehört zu jenen, von denen wegen ihres Engagements ständige Abrufbereitschaft erwartet wird und die auf sozialen Medien Angriffen ausgesetzt ist, die inzwischen auch in die physische Welt hineinreichen. Sie schrieb mir in einer besonders herausfordernden Zeit diese Worte:

»Was wollt ihr von mir?«, will ich in die Dunkelheit schreien. Die gefühlte Dunkelheit der Anonymität, aus der heraus gerade jemand täglich Pakete mit Luxusartikeln für Hunderte von Euro auf Rechnung an meine Privatadresse bestellt. Was wollen die von mir?
Natürlich weiß ich das eigentlich ganz genau. Sie denken, sie könnten mir ihre Überlegenheit reinwürgen, mich öffentlich demütigen, um ihre eigenen kranken Egos zu pushen, sie hoffen wahrscheinlich, dass sie damit politisch aktive Frauen mundtot machen können, und sie denken, sie können mich zwingen, mich mit ihnen zu beschäftigen.
Letzteres stimmt leider. So sehr ich sie dafür hasse, so sehr ich heute Abend etwas ganz anderes machen wollte, jetzt klicke ich doch fast zwanghaft alle paar Sekunden auf meine Mentions, um nachzusehen, ob noch mehr kommt.
Es ist eine körperliche Erfahrung. Wer Gewalt erlebt hat,

analog oder digital, kennt das Gefühl. Die Pupillen weiten sich, während ich gleichzeitig in einen totalen Tunnelblick falle, der Puls geht hoch, mir ist fast ein bisschen schwindelig. Flau im Magen sowieso. Mein Körper hat Angst. Ich habe Angst. Es sind doch nur ein paar Tweets. Es sind doch nur fehlgeleitete Pakete. Ja. Noch.

Ich weiß, dass ich mich von niemandem davon abhalten lasse, öffentlich für meine Überzeugungen einzutreten. Aber es ist ein verdammt hoher Preis, den ich und so viele andere immer und immer wieder dafür zahlen müssen.

Und ich weiß, dass vielen dieser Preis zu hoch ist.

Dieser »Preis« der öffentlichen Existenz wird häufig bagatellisiert und damit normalisiert. Wir haben zu antworten, verfügbar zu sein. Als ich eine Reihe von Frauen in der Öffentlichkeit zu diesem Druck befragte, schrieb mir die Journalistin Anna Dushime:

Erstens, ich bekomme ein schlechtes Gewissen gegenüber meiner Community, wenn ich mich nicht äußere und von meiner (vergleichsweise ja immer noch kleinen) Plattform Gebrauch mache. Zweitens, ich ärgere mich über unsensible weiße Freunde, die mir zum Beispiel ein Video von Polizeigewalt schicken, so nach dem Motto: So schlimm, was in St. Louis passiert ist. Hast du das schon gesehen? Ich frage mich immer, warum deren Verlangen nach einer unverstellten Reaktion von einer Schwarzen Person über meinem Wohlbefinden steht. Drittens, ich rege mich über Menschen in meinem professionellen Umfeld auf, die von mir eine halbe Pressekonferenz und am besten noch einen Workshop im Anschluss erwarten. Doch ich schulde ihnen keine Lernerfahrung. Ich muss dann diese Gefühle sortieren, während ich zugleich versuche, das rassistische oder sexistische Ereignis zu verarbeiten, auf das sie sich beziehen.

Die Journalistin Vanessa Vu, Online-Redakteurin einer großen Wochenzeitung, kommentierte ihre Rolle wie folgt:

> Situationen der Ohnmacht, ausgelöst zum Beispiel durch rassistische, sexistische oder klassistische Aggression, begegnen mir wie ein Unfall. Ich kann und will nicht wegsehen, bleibe stehen, will die Lage lindern – und vernachlässige dabei meine eigenen Bedürfnisse und Ziele. Das ist einmal, zweimal in Ordnung, aber anders als bei Verkehrsunfällen bin ich alltäglich mit rassistischen Vorfällen konfrontiert. Diese ständige Erste-Hilfe-Arbeit raubt enorm viel Energie und intellektuelle Kapazitäten, die ich lieber in innovative, empowernde und nachhaltige Arbeit stecken würde.

Die feministische Autorin Margarete Stokowski arbeitet seit vielen Jahren genau an dieser Schnittstelle – mit einer beliebten und breit rezipierten Kolumne, in der sie beruflich aktuelle politische, gesellschaftliche und kulturelle Ereignisse kritisch durchleuchtet, wird sie zunehmend auch als Privatperson Projektionsfläche für Menschen mit rassistischem, sexistischem Gedankengut. So schrieb sie mir über die Erwartungen, die an sie gerichtet werden:

> Ich denke, es ist ein Lernprozess, den jeder politisch aktive Mensch irgendwann durchmacht: zu erkennen, dass man auf die eigenen Grenzen achten muss. Weil andere das in der Regel nicht tun und selbst wenn, ist es sinnvoll, über die eigenen Fähigkeiten und Bedürfnisse selbst Bescheid zu wissen und danach zu handeln. So wichtig das Thema ist,

in dem man engagiert ist, so wichtig ist es auch, die eigene Gesundheit und Arbeitsfähigkeit zu erhalten – und ich verstehe, wenn Leute »activist burnout« haben. Bei mir selbst ist es nicht so, dass ich das Gefühl habe, zu allem immer was sagen zu müssen, also selbst wenn Leute danach fragen. Mir ist die Freiheit, nicht alles immer kommentieren zu müssen und auch nicht zu allem immer schnell eine fertige Meinung zu haben, wesentlich wichtiger als das Bedürfnis, auf alles zu antworten oder mich zu allem zu positionieren. Schwieriger finde ich es, wenn andere angegriffen werden, dann kann ich mich schwerer zurückziehen und ich versuche dann irgendwas zu tun, um zu helfen, auch wenn ich eigentlich gerade nicht die Ressourcen habe (Zeit, Kraft, Nerven usw.). Das ist manchmal ziemlich anstrengend, aber ich finde es auch nicht so erstrebenswert, daran etwas zu ändern.

Die in London lebende französisch-irische Journalistin und Filmemacherin Myriam François war viele Jahre lang aufgefordert, sich als bekennende Muslimin und Feministin in Talksendungen und bei Diskussionsveranstaltungen mit Extrempositionen auseinanderzusetzen. Diese Formate seien jedoch so konstruiert, erklärte sie mir, dass sich die Teilnehmenden mitunter auch in Positionen wiederfinden, die sie persönlich gar nicht vertreten, wodurch sie unwillentlich die Frontenbildung sogar verstärken. Inzwischen nimmt sie an diesen Diskussionsformaten nicht mehr teil: »Ich bin kein Zirkustier, ich bin nicht zu eurer Unterhaltung da. Ich verstehe zwar, wie Fernsehen funktioniert, aber persönlich habe ich kein Interesse daran.«

Auch ich stellte irgendwann fest, dass diejenigen, die diese Schaukämpfe inszenieren, sich darauf verlassen, dass Menschen wie Myriam François und ich uns dagegen wehren. Dass dieser Kampf nur funktioniert, weil wir mitspielen.

Redaktionen vernachlässigen ihre journalistische Sorgfalts-
pflicht, wenn sie uns damit beauftragen, den falschen, bewusst
provozierenden, kalkuliert menschenfeindlichen Statements
ihrer Gäste etwas entgegenzusetzen. In den letzten Jahren habe
ich viel Zeit damit verbracht, Redakteur*innen zu erklären, dass
es *ihre* Verantwortung ist, die Fehler, Lügen, Manipulationen und
Provokationen ihrer Gäste zu entlarven – nicht meine. Das Out-
sourcen dieser journalistischen Kernaufgabe führt dazu, dass
Menschenfeindlichkeit, Rassismus, Sexismus etc. zu *Meinungen*
oder *Positionen* geadelt werden – und unser Beitrag ist dann lediglich eine *Gegenmeinung* oder *Gegenposition*.

Viel zu viele redaktionell Tätige und Publizierende scheuen
sich davor, Verantwortung für ihre Arbeit zu übernehmen. Weil
diese Diskurse, in denen die Existenzberechtigung von Menschen verhandelt werden, für sie scheinbar *nur* Diskurse sind.
Nur Worte. Ein bloßes Spiel. Doch ein Wort ist nie »nur ein
Wort«. Jedes Wort hat Wirkung. Menschen verändern sich durch
die Worte, mit denen wir sie beschreiben. Sie werden zu dem,
was ihnen zugeschrieben wird.

In seinem Buch *Whistling Vivaldi* beschreibt der afroamerikanische Psychologe Claude Steele den Einfluss, den gesellschaftliche Stereotypen auf die betroffenen Gruppen haben. Er fand
heraus, dass die Angst, negativen Stereotypen zu entsprechen,
dazu führen kann, dass genau das Prophezeite eintritt. Soziale
Identität beeinflusst schulische Leistungen und Erinnerungs-
vermögen, sie wirkt sich darauf aus, unter welchem Beweisdruck
Menschen stehen und wie entspannt sie sich in einer bestimmten
Umgebung fühlen. Alles Dinge, so Steele, von denen wir gemeinhin annehmen, dass sie durch individuelles Talent, persönliche Antriebsstruktur und charakterliche Prägung vorgezeich-
net sind.

Steele und seine Kollegen zeigten, dass allein das *Bewusstsein* der Existenz von negativen Annahmen über die eigene soziale Gruppe Einfluss auf die Leistungsfähigkeit von Individuen hat – selbst dann, wenn ihre Gruppenzugehörigkeit im Testumfeld nicht thematisiert wird. Der Einfluss von Stereotypen auf Menschen ist unabhängig von der Anwesenheit Einzelner, die diese Stereotypen für richtig halten. Sie wirken einfach deshalb, weil sie in der Gesellschaft existieren und weil die davon Betroffenen das wissen.[2]

Ich war erst wenige Jahre hauptberuflich als Autorin tätig, als ich auf ein Zitat von Nietzsche stieß: »Wer davon lebt, einen Feind zu bekämpfen, hat ein Interesse daran, daß er am Leben bleibt.«[3] Ich fragte mich, ob ich irgendwo tief in meinem Inneren eine Abhängigkeit von diesen destruktiven Mechanismen – die einen prägen hasserfüllte Diskurse, die anderen reagieren darauf – entwickelt hatte. Konnte es sein, dass ich die Strukturen, die ich bekämpfe, insgeheim aufrechterhalten wollte? Nein, stellte ich erleichtert fest. Das nicht. Aber meine Lebensentscheidungen orientierten sich daran. Ich beschloss, meinen Unterhalt für einige Jahre nicht mit journalistischer Arbeit zu bestreiten, und arbeitete stattdessen an einer Universität. Ich wollte meine Intentionen auf den Prüfstand stellen, ich wollte meinen persönlichen Wert entkoppeln von der öffentlichen und finanziellen Anerkennung, die ich mir erarbeitet hatte.

Ich stellte fest: Ich vermisste nichts. Stattdessen spürte ich Leichtigkeit, Freiheit. Meine Arbeit hatte nichts mit politischen Entwicklungen zu tun, ihre Tragweite war begrenzter. Einmal sagte mir ein weißer, nichtmuslimischer Freund aus der Medienwelt, dass er schlechte Nachrichten für mich habe. Er glaube, dass Islam und Migration künftig nicht mehr zu den wichtigsten Themen der Öffentlichkeit gehören werden. »Ist das die schlechte Nachricht?«, fragte ich ihn lachend. Ich konnte mir nichts Schöneres vorstellen, als nicht mehr die Rolle des Sündenbocks für gesellschaftspolitische Krisen zu spielen. Ich konnte mir nichts Schöneres vorstellen, als endlich nicht mehr Teil des Spiels zu sein, das uns alle von den tatsächlichen Problemen ablenkt.

»Die Funktion, die ganz ernsthafte Funktion von Rassismus ist Ablenkung«, hat Toni Morrison einmal gesagt. »Er hält dich davon ab, deine Arbeit zu tun. Er lässt dich immer und immer wieder die Gründe deiner Existenz erklären. Jemand sagt, du hast keine Sprache, und du verbringst zwanzig Jahre damit, zu beweisen, dass du eine Sprache hast. Jemand sagt, dein Kopf hat nicht die richtige Form, also lässt du Wissenschaftler daran arbeiten, die Richtigkeit deiner Kopfform zu belegen. (…) Nichts davon ist notwendig. Es wird immer noch eine weitere Sache geben.«[4]

Es wird immer noch etwas geben. Noch eine Absurdität, noch eine »Expertenmeinung«, der ich und Tausende andere ihre Lebenszeit widmen, anstatt uns mit interessanten, zukunftsweisenden Themen zu beschäftigen. Wir verschwenden unsere Kraft damit, Teil eines sinnlosen Kampfes zu sein, um dafür zu sorgen, dass es nicht noch schlimmer wird.

Vor einigen Jahren war ich bei einer Podiumsdiskussion. Ein damals renommierter Journalist begriff das Gespräch offenbar als Niveaulimbo. Woher die Erregungsbereitschaft der Muslime käme, witzelte er. Ihnen fehle es an Sex und Alkohol. Dann fragte er ernsthaft in die Runde, ob es einen Zusammenhang zwischen dem Islam und Bildungsverweigerung gäbe.

Aus dem Publikum schaute ich ihn eindringlich an. Unsere Blicke trafen sich. *Unsereins* hatte er an diesem Abend scheinbar nicht im Publikum erwartet. So wich er meinem Blick aus. Ich stand auf, um einen Wortbeitrag zu leisten. Der Herr drehte seinen Kopf nun gänzlich weg. »Sie dürfen mich angucken, oder verwirrt Sie meine Existenz?«, fragte ich. Offensichtlich war dem so. Seinen Behauptungen zufolge dürfte eine Frau wie ich schließlich gar nicht existieren. Als ich im Anschluss an die Veranstaltung auf ihn zuging und ihn fragte, wie er zu seinen Haltungen komme, sagte er: »Ich bin kein Islam-Experte. Man lädt mich halt ein. Und ein bisschen muss es ja knallen.«

Fünf Jahre lang schwieg die afroamerikanische Autorin Maya Angelou als Kind. Sie war acht Jahre alt, als sie den Namen ihres Vergewaltigers, des Freundes ihrer Mutter, aussprach. Kurze Zeit später wurde er tot aufgefunden. Und so hörte sie auf zu sprechen, erschrocken über die Macht ihrer Worte.[5]

Ein unschuldiges, achtjähriges Kind fühlt Verantwortung für ihre Worte, während erwachsene Menschen kalkuliert hasserfüllte Botschaften streuen, damit »es knallt«. Zur Unterhaltung. Doch je polarisierter solche Schaukämpfe ausgetragen werden, desto mehr verändern sie das Publikum, das unterhalten werden soll. Je eindeutiger und homogener die Positionen, je idealisierter und kompromissloser die Haltungen, desto tiefer werden die gesellschaftlichen Gräben. Für Zweifel, Zögern, Reflexion bleibt kaum noch Platz, bis wir schließlich vergessen, dass sie einmal Möglichkeiten waren.

Man wird ja wohl noch sagen dürfen. Mit dieser Phrase gerieten Anstand, Respekt und Empathie, aber auch Wissenschaftlichkeit und Faktizität in medialen Diskursen ins Hintertreffen. Ihr Schirmherr ist Thilo Sarrazin, der 2010 ein Buch veröffentlichte, dessen Titel hier keine Erwähnung finden muss. Die Autorin Hatice Akyün beschreibt diesen Moment als Zäsur:

Thilo Sarrazin hat die Grenzen des Sagbaren unumkehrbar verschoben. Die Redaktionen haben Aussagen, die normalerweise ein Fall für die Staatsanwaltschaft gewesen wären, der eigenen Leserschaft als Debatte zum Fraß hingeworfen. Ganz ungezwungen und kultiviert diskutierte man nun über

Eugenik, dumpfen Rassismus und darüber, ob Migranten etwas Verwertbares für Deutschland hervorgebracht hätten. Permanente Wiederholungen von herbeigebogenen Klischees eines kruden Rechenschieberbürokraten, als seien sie wissenschaftlich fundiert. Hinter der Fassade der Biedermänner, die mit den Medien eine solide Plattform bekamen, radikalisierten sich die Anhänger und sahen sich als die Vollstrecker der kruden Pauschalierungen, Verflachungen und tendenziösen Schuldzuweisungen.[6]

Akyün erzählt, wie ihr Kolleg*innen erklärten, dass ja nicht alles, was Sarrazin sage, schlecht sei. »Und dann suchten sie in dem Sumpf aus Wörtern nach dem klaren Tropfen Wasser.«

Kaum ein Missstand ist plötzlich da. Meist bahnt er sich an, über Jahre. Nicht alle sehen Gräben, die er durch unsere Gesellschaft zieht, denn häufig geschieht das an Orten, die Privilegierte nicht erleben, so dass sie Probleme erst erkennen, wenn sie selbst betroffen sind. Die Erfahrungen der anderen, ihr Wissen, ist weniger wert.

Doch später ist vielleicht zu spät. Wenn es also schon kein altruistisches Interesse, keine Solidarität mit den weniger Privilegierten gibt, so lohnt sich zumindest ein Blick auf ihr Erleben, um darin Vorzeichen für die eigene Zukunft zu entdecken. Wer wissen möchte, welche Herausforderungen auf uns alle warten, der sollte jenen genau zuhören, die in der gegenwärtigen gesellschaftlichen Architektur schon jetzt die Leidtragenden sind. Die Armen der Welt, die Ausgegrenzten der Welt, sie kennen die hässlichsten Fratzen der Klimakrise, des Kapitalismus, des Konsumwahns, der sozialen Medien. Es ist manchmal tragikomisch, den Privilegierten dabei zuzuschauen, wie sie über die Herausforderungen der Zukunft grübeln und zugleich all jene ignorieren, die diese Herausforderungen längst erleben, die längst darüber reden und schreiben.

Jahre bevor Rechtspopulismus und Rechtsextremismus auch von Privilegierten als Bedrohung für die Demokratie ernst genommen wurden, hatten diejenigen, die Zielscheiben der Rechten sind, schon vor ihnen gewarnt. »Eine AfD zu ertragen und zu ignorieren ist ein Privileg, das Schwarze und People of Color nicht haben«, schrieb der Politikwissenschaftler Ozan Zakariya Keskinkılıç.[7] Deshalb können wir gesamtgesellschaftlich den Hass nicht ignorieren. Wir müssen Menschenfeindlichkeit in ihre Schranken verweisen. Wir dürfen sie nicht dulden und zu »Meinungen« erheben, die neue Impulse in die Debatte bringen, sondern müssen sie benennen: Rassismus. Extremismus. Menschenfeindlichkeit. Faschismus. Hass ist *keine* Meinung.

Seit Jahren wird in der medialen und politischen Öffentlichkeit ernsthaft diskutiert, ob der Islam zu Deutschland gehört. Mit welcher Absicht und welchem Ziel wird diese Frage gestellt? Sind wir uns bewusst, was sie bedeutet, welche Konsequenzen sie haben kann für die Menschen, um die es geht? Was ist, wenn wir an irgendeinem Punkt entscheiden: *Nein,* Muslim*innen gehören nicht zu Deutschland? Was passiert dann?

Für den Großteil der Gesellschaft werden rassistische, menschenfeindliche, diskriminierende Debatten erst dann real, wenn Mobs Menschen jagen, Gebäude in Brand setzen, töten. Der Hass, die Häme, die Gewalt, die Ablehnung – all das, was für Menschen wie mich, Menschen, die als »anders« markiert sind, tägliche Realität ist, wird für die meisten erst sichtbar, wenn es massiv eskaliert. Die Dinge, die Minderheiten und marginalisierte Gruppen erleben, sind Vorzeichen. Wir sollten genau hinhören, wenn sie beschreiben, was im Schatten geschieht – wofür es manchmal noch nicht einmal Worte gibt. Sie sind Seismografen für die Gefährdungen unserer Demokratie.

In ihrer Festrede zur Verleihung des Otto-Brenner-Preises beschrieb die Autorin Mely Kiyak 2016 dieses Phänomen anhand der Hasskommentare, die Journalist*innen of Color oder mit Migrationshintergrund ertragen müssen.

Seit meinem ersten Artikel, dem 19. Januar 2006, ein Feuilleton-Aufmacher für *Die Zeit*, bis heute gab es nicht einen einzigen Text, nicht eine Kolumne, nicht ein Interview, bei der die eben beschriebene Reaktion (Hasskommentare und Hassbriefe) ausblieb. Bei keinem einzigen Text! Ich kenne Kollegen, die haben in ihrem ganzen Berufsleben vielleicht drei Briefe bekommen!

Ich spreche übrigens nicht von Online-Kommentaren, sondern von echten Briefen oder E-Mails. Woche für Woche hagelt es Empörung, Beschimpfung, Anzeigen, Drohungen. Selten handelt ein Brief davon, wovon ich schrieb; meistens davon, dass ich schrieb.

Wenn also gesagt wird: Die Leser seien neuerdings ganz aggressiv, wegen Facebook und Twitter, das habe irgendeine eine Studie ergeben, dann kann ich das nicht ernst nehmen. Denn meine Erfahrung ist: Ich kenne es nur so.

Wenn wir, eine Handvoll Kollegen mit etwas anders klingenden Namen, uns vor zehn Jahren an unsere Kollegen wandten und sagten: Wir werden massiv belästigt, bitte unterstützt uns, dann war die Reaktion immer dieselbe: Gleichgültigkeit. Und der Irrglaube, dass das, was da passiert, das Problem einer Minderheit sei. Obwohl wir sagten: Heute wir, morgen ihr!

Die Erfahrung einiger weniger muss aber zählen, denn sie ist immer ein Beleg für eine Entwicklung.

Es hat zehn Jahre gedauert, bis die Kollegen diesen Hass als Problem erkannten und beschrieben. Das Verrückte aber ist, dass sie behaupten: »Damals war es nicht so schlimm wie heute. Heute ist alles viel vulgärer und enthemmter.«

Das stimmt natürlich nicht. Es war genauso schlimm, widerlich, obszön und primitiv. Es hat aber eben nur »uns« betroffen.[8]

Der digitale Hass, über den seit einigen Jahren so breit und entsetzt debattiert wird, ist für andere seit langer Zeit Grundrauschen ihrer öffentlichen Arbeit. *Was macht der Hass im Netz mit dir?*, hatte ich 2016 gemeinsam mit der Autorin Anne Wizorek andere Feministinnen gefragt. Er hat uns unsere Leichtigkeit, unsere »Unbeschwertheit« genommen, schrieb Wizorek damals. Er nimmt uns »Zeit und Energie«, schrieb die Unternehmensberaterin Dudu Küçükgöl; er macht »müde, unendlich müde«, erklärte Margarete Stokowski. Und die Politikerin Amina Yousaf antwortete auf unsere Frage: »Ich überlege vor jedem Post, ob ich das schreiben/teilen/posten kann, ohne Angst haben zu müssen. Ich habe angefangen, mich selbst zu zensieren.«

Ein Mensch muss aber gar nicht erst Teil politischer Diskurse sein, um diesen Hass zu erleben. Manche sind allein deshalb Zielscheibe, weil sie sich im Internet sichtbar aufhalten. So sind Schwarze Menschen und Menschen of Color, LGBTQI, Menschen mit Behinderung und Frauen diesem Hass besonders oft ausgesetzt. Laut einer Umfrage unter 9000 deutschen Internetnutzer*innen zwischen 10 und 50 Jahren sind Frauen sehr viel häufiger als Männer von digitaler sexueller Belästigung und Cyber-Stalking betroffen.[9]

Wenn wir Hass im Netz problematisierten, war die Antwort häufig, wir sollten uns nicht so anstellen, es sei ja »nur« das Internet. Oder: Wer öffentlich seine Meinung äußere, habe nun mal mit »Gegenwind« zu rechnen. Das Problem sei nicht der Hass, sondern wir, die ihn anscheinend »provoziert« hätten. Das war, bevor die Debatte um Hass im Netz bei weißen, männlichen Redakteuren ankam – bevor die Realität des Hasses den Erlebnishorizont der Privilegierten erreichte.

Und so folgen die Debatten immer wieder der konjunkturellen Logik der öffentlichen Aufmerksamkeit. Menschenfeindliche, sexistische und rassistische Positionen werden weiter zu Meinungen erhoben, in der Erwartung, dass wir darauf reagieren. Wir werden in die Manege gebeten und sollen hinterherräumen, erklären, verteidigen. Wir sollen mitmachen bei einem Spiel, das davon lebt, dass Menschen ihre Menschlichkeit genommen wird. Wie lange wollen, wie lange *können* wir das noch?

> *Wir haben euch angefleht, damit aufzuhören, Hass*
> *und Rassismus zu verbreiten und zu normalisieren.*
> *Aber ihr meintet, wir seien »politisch korrekt«*
> *und »Meinungsfreiheit« sei wichtiger. Je mehr ihr*
> *den Rechtsextremen eine Plattform gabt, desto*
> *stärker wurden sie. Wir haben euch angefleht.*
>
> Osman Faruqi, Journalist,
> nach den Attentaten in Neuseeland

Wir leben in merkwürdigen Zeiten. Als Mensch, der leidet, sollst du dein Leid nicht zu deutlich zeigen. Du sollst es schlucken, verbergen, damit deine Mitmenschen dich ertragen, damit sie den Menschen in dir sehen können. Bis heute finden wir es »mutig«, wenn eine Person über ihre Depression spricht. Aber bitte möglichst so, dass kein struktureller Wandel eingefordert wird, sondern indem dieser Mensch *sein Schicksal selbst in die Hand nimmt.* Armut, existenzielle Ängste, bedrohliche Sorgen oder lähmende Schmerzen – alles, was Menschen davon abhält, das Leben zu genießen, soll denen nicht zur Last fallen, die es problemlos können. Die Sorgenfreien sollen nicht gezwungen sein, andere Perspektiven einzunehmen oder gar den eigenen Genuss in Frage zu stellen.

So lernen manche Menschen, die Schwere ihrer Leben zu kaschieren und Leichtigkeit vorzutäuschen. So wie der ältere Herr in unserer ehemaligen Nachbarschaft, der gelernt hatte, nicht zu viel zu sprechen, nicht zu oft um Hilfe zu bitten, nicht zu oft die Leben der anderen zu stören. Der Angst davor hatte, uns zur Last zu fallen. Und ich war damals überfordert damit, ihm diese Angst zu nehmen. Manchmal, wenn wir ihn bei Feiern zu uns einluden, beobachtete ich, wie er sein Mitteilungsbedürfnis unterdrückte. Wie er einfach nur still nickte und – im Gegensatz zu allen anderen im Raum – nicht von seiner Erfahrungswelt, seinem Leben erzählte, sich nicht beklagte, keine seiner Sorgen mit der Runde teilte, um dafür von den Jüngeren und Schnelleren geduldet zu werden. Die Illusion der Zugehörigkeit.

Ähnlich verhält es sich in unserer Gesellschaft mit rassistischen Erfahrungen. Wer täglich angepöbelt, angerempelt, beschimpft oder hasserfüllt angestarrt wird, dem wird nach und nach beigebracht, sich besser nicht darüber zu beschweren – ob bei den Kolleg*innen auf der Arbeit, den Kommiliton*innen an der Universität oder den Freund*innen im Sportstudio, denen solche Dinge nicht passieren. Sie lernen, die Illusion der heilen Welt der anderen nicht zerplatzen zu lassen. Die Demütigungen zu verbergen.

Aber sie sind real. Rassismus gehört zu meinem Alltag. Seitdem ich Mutter bin, bin ich sogar mehrfach physisch angegriffen worden. Im März 2019 wurde eine schwangere Berlinerin von einem Mann in den Bauch geschlagen – in der Berichterstattung hieß es, dass sie wegen ihres Kopftuchs angegriffen worden sei. Doch nicht ihr Kopftuch war der Grund für den Angriff, sondern die Tatsache, dass der Täter ein Rassist ist.[10] Rassistische Angriffe sind keine abstrakten Zahlen und Statistiken für jene, die bei diesen Angriffen symbolisch und politisch mitgemeint sind. Sie schauen genau hin, wie die Dominanzgesellschaft reagiert. Welche Angehörigen werden besucht? Vor welchen Gebäuden werden Mahnwachen gehalten? Verändern viele Menschen ihre Profilbilder auf Facebook, Twitter und Instagram? Bekunden sie ihr Beileid? Zu welchen Themen laufen Sondersendungen und Talkshows?

Wenn ein amtierender Politiker wie der Kasseler Regierungspräsident Walter Lübcke, der sich für Geflüchtete einsetzte und von Rechtextremen bedroht wurde, erschossen aufgefunden wird, dann ist es zunächst mal unerheblich, ob sich der Verdacht eines politischen Mordes tatsächlich bewahrheitet. Solange er im Raum steht, ist die Frage: Wie gehen wir mit diesem Verdacht um? Alle, die damit auch gemeint sein könnten, werden die medialen und politischen Reaktionen auf diesen Verdacht hin ganz genau beobachten. Und sich fragen: Welche Bedrohungen und Ängste werden priorisiert? Wo wird ganz genau hingeschaut? Und wann wird sich nahezu überzogen um »Besonnenheit« und Zurückhaltung bemüht?

Erinnern Sie sich an den 15. März 2019, als sich ein rechtsextremistischer Terrorist in Neuseeland eine Kamera auf den Kopf schnallte und live im Internet übertrug, wie er fünfzig Menschen in zwei Moscheen das Leben nahm? In den nachfolgenden Tagen ging es bei den reichweitenstärksten politischen TV-Talksendungen um folgende Themen: »Zwischen Höchstleistung und Überlastung – wann macht Arbeit krank?«, »Frauen unter Druck, Männer am Drücker – alles so wie immer?« und »Populisten gegen Europa: Ist der Brexit erst der Anfang?«[11] Und so fragen sich diejenigen, die mit einem solchen Mord gemeint sind: Sind unsere Leben Mitgefühl wert?

Ich höre relativ spät vom Attentat. Das erste Mal schaue ich morgens auf dem Weg zur Kita auf mein Handy, als mein Sohn beschließt, noch ein paar zusätzliche Runden mit dem Fahrrad durch den Park zu drehen. Während ich warte, lese ich die Nachricht einer Freundin, die ihr Entsetzen über das Attentat ausdrückt. Und mich fragt, wie es mir damit geht.

Ich weiß nicht, wie es mir geht. Ich weiß nur, dass ich mir keine Gedanken dazu machen darf und kann, weil ich noch ein paar Minuten funktionieren und eine glückliche Welt mimen muss. Ich drücke die Nachricht weg und versuche, hier zu sein, im Moment, bei meinem Sohn. Der Angst keinen Eingang in unser Alltagsleben zu gewähren. Erst nachdem wir uns beide zum Abschied auf die Stirn geküsst haben, wie wir das jeden Morgen tun, kann ich mich dem widmen, was geschehen ist.

Ich lese die Nachrichten. Überall taucht das Video des Attentäters auf, automatisch beginnen Szenen zu spielen, in denen Menschen schreiend, weinend oder starr vor Angst inmitten des Blutbads stehen. Mir schießen Tränen in die Augen. Aber ich sitze in einem Zug, ich möchte unter fremden Menschen nicht weinen. Ich möchte kein Mitleid. Ich möchte nicht erzählen müssen. Ich möchte nicht erklären, wie und warum mir das nahegeht. Es haben sich schon so viele nackt in die Mitte gestellt, ihre Wunden gezeigt und wurden dafür verhöhnt. Es braucht keine neuen Geschichten, es ist alles bekannt. Der Hass ist für alle sichtbar, sie müssen nur hinsehen.

Wir müssen Menschen nicht erst leiden sehen, um sie als Menschen zu erkennen.

Als im Mai 2019 in Alabama das restriktivste Abtreibungsgesetz der USA verabschiedet wurde, rief die Schauspielerin und Produzentin Busy Philipps Frauen dazu auf, auf Twitter unter dem Hashtag #youknowme von ihren Abtreibungen zu berichten.[12] Tausende teilten ihre Erfahrungen, doch es wurden auch

Stimmen laut, die sagten: Ich muss nicht meine Erfahrung preisgeben, meine Geschichte erzählen, damit andere mich als Menschen erkennen. So schrieb die feministische Aktivistin Sara Locke: »Die Sache ist die: #youknowme, aber ich schulde dir nicht meine Geschichte. Ich schulde dir nicht meinen privaten Schmerz (...), damit du mich als Person anerkennst. Du schuldest mir Respekt und Selbstbestimmung über meinen Körper.«[13]

Einmal hatte ich meinen Schmerz gezeigt. Das war 2016, als ich einen Vortrag über den Hass im Netz hielt und »Organisierte Liebe« forderte.[14] An diesem Tag konnte und wollte ich nicht mehr so tun, als ob es nicht schmerzen würde. Schon beim Schreiben hatte ich geweint, immer wieder. Also übte ich im Hotelzimmer meinen Text. Gefühlvoll, ja, aber ohne expressive Emotionen sollte er sein. Keine Träne sollte meine Augen verlassen. Fünf Mal las ich meinen Text. Beim sechsten Mal waren meine Augen trocken.

Auf der Bühne kämpfte ich. Hielt inne. Setzte erneut an. Unter Tränen. Hielt wieder inne. Und ließ die Tränen schließlich laufen – unterdessen raste ich im Höchsttempo durch den Text. Und schämte mich. Den Applaus des Publikums nach meinem Vortrag konnte ich nicht annehmen. Wollte ich nicht annehmen.

Ich nahm mir vor, meine Tränen nie wieder in der Öffentlichkeit zu zeigen.

Zwei Jahre später sprach ich in einer idyllischen kleinen Kirche in der Schweiz. Der Pfarrer, ein engagierter, feinsinniger Mann, bat mich, nach meinem Vortrag noch zu bleiben. Schon allein das Sprechen an diesem schönen Ort vor diesen Menschen, die ihre Ohren und Herzen geöffnet hatten, hatte mich tief bewegt. Als nun eine mehrköpfige Band mit Chor zu musizieren begann – Worte des Theologen und antifaschistischen Widerstandskämpfers Dietrich Bonhoeffer rezitierend –, schloss ich meine Augen. Dann hörte ich, wie der Chor Worte aus meinen

Texten aufgriff. Und ich traute mich nicht mehr, meine Augen zu öffnen. Ich kämpfte mit mir. Und kämpfte. So gut, so erfolgreich, dass keine einzige Träne meine Augen verließ.

Ich hatte es geschafft.

Es brauchte viele Gespräche, bis ich entsetzt von diesem »Erfolg« erwachte. Tränen, so heißt es in der islamischen Philosophie, reinigen und erweichen die Herzen. So weh es auch tut, verwundbar zu sein: Manchmal sagt eine Träne mehr als tausend Worte. Insbesondere in Zeiten des lauten Schweigens.

»Woran wir uns am Ende erinnern werden, sind nicht die Worte unserer Feinde. Es ist das Schweigen unserer Freunde«, sagte Martin Luther King jr. Solange diesem Schweigen eine Träne folgt, hoffe ich, hoffen zu können.

DIE AGENDA DER RECHTEN

Immer stärker bestimmen Rechte, worüber wir reden. Sie diktieren die Inhalte, mit denen wir uns beschäftigen. Sie diktieren die Form, in der wir uns miteinander beschäftigen. Sie errichten eine Diktatur der immerwährenden Wiederholung – bis wir das glauben, womit sie uns beschäftigen. Bis wir uns selbst vergessen.

Es passiert schleichend. In einer veränderten, digitalen Welt, in der die alten Regeln des politischen Diskurses nicht mehr greifen, büßen wir unsere Vieldeutigkeit und Widersprüchlichkeit ein. Denn die Kontexte, in denen wir jeweils andere Facetten unserer Persönlichkeit ausleben – Arbeit, Freund*innenkreise, Freizeit, Familie –, verschmelzen zu einem einzigen Raum und die verschiedenen Aspekte unserer Persönlichkeit erstarren zu einer einzigen Identität. Was wir öffentlich schreiben, teilen und tun, kann von der Familie, dem Arbeitsumfeld, den Freund*innen, den Bekanntschaften und Fremden gelesen werden. Wie aber können unter den Bedingungen der digitalen Öffentlichkeit das Kindische und das Reife in uns, das Verletzliche und Selbstbewusste, das Professionelle und Schwache, das Rationale und Irrationale zugleich existieren, wenn es kein Vergessen gibt, wenn alles für immer auffindbar bleibt, als wäre unsere Vergangenheit auch unsere Gegenwart? Wie können wir unser Selbst noch gestalten, wenn wir in der Identität gefangen sind, die der Spiegel des Internets uns zeigt?

In dieser neuen Welt der Unfreiheit wächst eine polarisierte

Diskurskultur, die kaum Raum für Positionen jenseits des Lagerdenkens lässt. Das Internet kehrt die hässlichen Seiten unserer Gesellschaft sichtbar hervor. Es macht den Hass sichtbar, der zuvor nur für die direkt Betroffenen sichtbar war. *Scheiß Ausländer! Du Schlampe!* Es ist eine kurze Begegnung, jemand raunt Ihnen diese Worte ins Ohr, und niemand außer Ihnen beiden kann es bezeugen. Dieser flüchtige Moment, in dem der Hassende seinen Hass dem Gehassten offenbart, findet im Netz einen Echoraum, wiederholt sich, radikalisiert sich – und manifestiert sich so zu einer *dauerhaften* Öffentlichkeit. Der Hass wird zur neuen Normalität.

Die Hassenden glauben, sie hätten das Recht zu hassen. Und wir reagieren auf ihre Provokationen, konfrontieren uns mit dem immer Radikaleren und ernennen sie damit zu unserem Gegenüber. Ihre Reaktionen, ihr Verhalten ist stets Referenzpunkt, »weil die Empörung der jeweils anderen Seite als das eigentliche Ärgernis gilt« – so beschreibt der Medienwissenschaftler Bernhard Pörksen die allgemeine Gereiztheit. Die Folge sei eine »in endlosen Schüben wuchernde *Skandalisierung der Skandalisierung*«[1]. Empört und erschöpft suchen wir den Beistand derer, die uns bestätigen. Die Gesellschaft spaltet sich zunehmend, ihre Teile driften auseinander.

Und noch während wir mehr Empathie, schärfere Gesetze, einen Kulturwandel, Zivilcourage, Schulungen für die Polizei und vieles mehr einfordern, müssen wir uns eingestehen, dass wir im Dunkeln tappen. Denn die digitale Architektur, die diese Entwicklungen prägt, ist intransparent. Es wird zwar viel gemutmaßt und philosophiert, doch die Algorithmen auf den prominentesten sozialen Plattformen sind für die Öffentlichkeit nicht einsehbar. Stellen Sie sich ein skurriles Abendessen vor, bei dem weder Sie noch die anderen Gäste begreifen, nach welchen Regeln das Tischgespräch verläuft, an dem sie doch alle beteiligt sind. Sie wissen nicht, warum der eigentlich kluge Kommentar Ihrer Sitznachbarin so leise klingt und von den meisten anderen am Tisch scheinbar nicht gehört werden kann. Sie wissen nicht, warum das lustige Familienvideo eines anderen Sitznachbarn stundenlang am Tisch herumgereicht wird. Sie wissen nicht, warum ein einzelner Wortbeitrag plötzlich alle anderen übertönt. Sie wissen nicht, warum eine Zufallsbekanntschaft, die eben noch am anderen Ende des Tisches platziert war, nun plötzlich neben Ihnen sitzt und Ihnen alte Hochzeits- und Urlaubsfotos vor die Nase hält. Die Sprache am Tisch wird aus irgendeinem Grund rauer. Jemand tobt vor Wut, die Stimmung kippt. Es schreit ein Mann quer über den Tisch und hält den alten Tweet einer Politikerin hoch, ein anderer wedelt mit einem Blog-Eintrag aus der letzten Woche. Die anderen schreien empört zurück. Chaos.

Warum, so müsste die Frage lauten, machen wir eigentlich freiwillig mit bei einem Spiel, dessen Regeln wir nicht kennen? Anlässe, dies nicht mehr zu tun, gibt es mehr als genug.

Als 2016 in Großbritannien über den Brexit entschieden worden war, begab sich die Journalistin Carole Cadwalladr in ihrer Heimatstadt Ebbw Vale auf Spurensuche.[2] Sie wollte herausfinden, weshalb in dieser eigentlich linken Arbeiter*innenstadt mit einer der landesweit niedrigsten Zuwanderungsraten über 60 Prozent der Wähler*innen für den Brexit gestimmt hatten. Sie berichtete, wie eine Frau immer wieder über die Türkei sprach, die angeblich dabei sei, der EU beizutreten. Dabei lagen die Beitrittsverhandlungen schon seit Jahren auf Eis und waren in der öffentlichen Debatte kein prominentes Thema. Woher kam also ihre Angst? Woher die Informationen? Cadwalladr suchte, recherchierte, doch vergeblich – bis sie auf sogenannte *dark ads* stieß, Anzeigen bei Facebook, die nicht archiviert werden und die außer denen, die sie schalten, und denen, an die sie gerichtet sind, niemand je zu Gesicht bekommt. Journalist*innen oder Wissenschaftler*innen können also nicht nachrecherchieren, mit welchen Inhalten um Facebook-Nutzer*innen geworben wird. Oder auch: Wie sie manipuliert werden.

Gesellschaftliche Entwicklungen, die durch das Medium Internet in Gang kommen oder beschleunigt werden, sind mit tradierten Methoden kaum mehr ursächlich zu durchschauen. Ohnmächtig und ratlos beobachten wir, wie sich ein fantastischer Nährboden für eindimensionale Perspektiven auf die Welt entwickelt, ein Paradies für Meinungsfanatiker und Radikale aller Couleur.

Sind wir uns wirklich der Gefahr bewusst, die in dieser Entwicklung liegt? Was passiert, wenn wir uns permanent am immer radikaleren politischen Gegner abarbeiten? Und nur das aufnehmen, was unser Weltbild bestätigt? Wenn die Gatekeeper unserer Zeit – Google und Facebook – uns durch ihre Algorithmen immer wieder das zeigen, von dem sie vermuten, dass wir es sehen wollen?[3]

Wenn infolgedessen Menschen, die vermeintlich die gleiche Sprache sprechen, immer häufiger die Erfahrung machen, dass sie nicht zueinander durchdringen, weil ihre Bedeutungssysteme nicht kompatibel sind – wie können wir uns dann noch auf geteilte Normen verständigen und gesellschaftliches Miteinander gestalten? Und wie können wir verhindern, dass Rechte unsere Empörung für ihre Zwecke instrumentalisieren?

Der Empörungsimpuls ist im Grunde ein wichtiges und nützliches gesellschaftliches Werkzeug. Stellen Sie sich vor, ein Mann betritt ein Restaurant und fängt an, die Bedienung zu beschimpfen. Die anderen Gäste im Restaurant werfen ihm abschätzige Blicke zu, schütteln energisch den Kopf, gehen gar dazwischen. Die temporäre Aufmerksamkeit, die sie dem schimpfenden Mann geben, dient der Zurechtweisung. Sie signalisieren ihm damit: Ein solches Verhalten ist hier unerwünscht, und vermutlich würde er das Restaurant wütend verlassen, dessen verwiesen werden oder sein Verhalten ändern und sich entschuldigen.

Würde der gleiche Mann jedoch auf einer sozialen Plattform schimpfen, würde er nicht sanktioniert werden, seine Empörung würde ihm im Gegenteil eine größere Reichweite verschaffen. Je stärker die Reaktion auf sein Verhalten, desto mehr Blicke sind auf ihn gerichtet, desto mehr Menschen hören ihm zu und verschaffen seinen Worten den Anschein von Relevanz. Mit jeder Provokation, jedem Skandal wächst sein Publikum. Und irgendwann fragen wir uns, warum er eigentlich so bekannt und einflussreich ist.

Phänomene dieser Entwicklung sind nicht nur ein Überfluss an Meldungen ohne Nachrichtenwert, sondern Wüteriche mit politischer Macht. Aggressive, kalkulierte Provokationen bergen das Potenzial, die Skrupellosen in höchste politische Ämter zu hieven. Während Nachdenklichkeit, Besonnenheit und Zögern mit Nichtbeachtung bestraft werden, wird unsere Aufmerksamkeit den immer extremeren Positionen zuteil. So haben wir es mit radikalisierten Jugendlichen zu tun, die glauben, es gäbe einen »Heiligen Krieg« und sie müssten sich ISIS in Syrien anschließen. Andere wiederum glauben, es gebe eine »schleichende Islamisierung« und ein Bürgerkrieg stünde uns bevor. Sie fühlen sich dazu berufen, Flüchtlingsheime in Brand zu setzen. Oder heterosexuelle Männer, die sich *Incels* nennen, *involuntary celibates*, und Frauen dafür verantwortlich machen, dass sie selbst keinen Geschlechtsverkehr haben, weil sie glauben, sie hätten ein Anrecht auf Sex und deshalb zur Waffe greifen. Oder auch Menschen, die ernsthaft glauben, sie könnten sich von Licht ernähren, und deshalb sterben.

Doch wenn wir über den Hass in unserer Gesellschaft sprechen, wenn wir über Verschwörungstheoretiker*innen oder Radikale sprechen, dann tun wir das häufig mit der Arroganz und Erhabenheit jener, die glauben, bei uns – in der Mitte der Gesellschaft – sei alles noch gut. Dabei hat sich auch »unsere« Wahrnehmung radikal verändert.

Wie oft hörte ich in den letzten Jahren: Islam, Rassismus, Frauenrechte und Feminismus, Migration und Geflüchtete – *das sind halt Themen, die polarisieren.* Nein. Diese Themen sind nicht per se polarisierend, sie werden es erst, wenn in einschlägigen Blogs und Foren gehetzt wird, wenn unsere Kommentarspalten geflutet und die öffentliche Debatte entsprechend geprägt wird. Dabei bilden die massenhaften Hasskommentare keineswegs die Meinungsvielfalt der Gesellschaft ab, sondern werden von rassistischen und rechtspopulistischen Gruppen gezielt und systematisch organisiert. Das Institute for Strategic Dialogue hat über 3000 Artikel deutscher Medien und 18 000 Kommentare auf Facebook analysiert und herausgefunden: Gerade einmal fünf Prozent aller Accounts sind für 50 Prozent aller Hasskommentare verantwortlich.[4] Von dort aus wird gezielt an Redaktionen geschrieben, werden ausgewählte Artikel kommentiert, um den Eindruck zu erwecken, bestimmte Positionen zu Islam, Migration, Frauen oder Geflüchteten seien gesellschaftlich nicht tragbar, zu marginal und provokant für die Mitte unserer Gesellschaft. Und so verschiebt sich unsere Wahrnehmung dessen, was »normal« und vertretbar ist, denn auch wer meint, diesen Schlagabtausch distanziert zu beobachten, wird davon verändert.

Stellen Sie sich vor, Sie sitzen im Publikum und hören einem Vortrag zu, dem sie eigentlich zustimmen. Aber ein paar Plätze neben Ihnen, zwei Reihen vor Ihnen, dort drüben in der rechten Ecke des Raumes und direkt hinter Ihnen sitzen Personen, die immer wieder verständnislos den Kopf schütteln und dazwischenrufen, offensichtlich empört über das Gesagte. Sie wissen nicht, dass sie sich abgesprochen haben, um den Eindruck zu erzeugen, beträchtliche Teile des Publikums stimmten der Vortragenden nicht zu. Und am Ende des Abends denken Sie fast unweigerlich: Offenbar ist es ziemlich streitbar, was die Vortragende sagt. So wird das Streben nach einer gerechteren Gesellschaft *streitbar*. So wird das uneigennützige Helfen *streitbar*. Und so leben wir plötzlich in einer Gesellschaft, in der sich jene rechtfertigen müssen, die Ertrinkende im Mittelmeer retten. Und nicht diejenigen, die ihre Hilfe verweigern.

Das ist es, worauf die Kommentator*innen in den Foren abzielen. Sie wollen nicht in erster Linie den Autor*innen etwas entgegnen, sondern diejenigen beeinflussen, die mitlesen. Ihr Ziel sind wir, das Publikum. Sie machen rassistische, xenophobe, antisemitische, islamfeindliche, demokratiefeindliche Positionen salonfähig, indem sie diese immer aufs Neue wiederholen. Sie stilisieren sich zu Held*innen, die vermeintliche Tabus mutig aussprechen und gegen unsere »politisch korrekte« Gesellschaft mit ihren »Denkverboten« aufbegehren.

Und indem wir auf ihre Provokationen ausgiebig reagieren, legitimieren wir sie. Wir verleihen ihren Positionen gesellschaftliche Relevanz. Wir erheben Rassismus, Sexismus, Antisemitismus und Homofeindlichkeit zu legitimen Sichtweisen auf die Welt, zu »Meinungen«. Wir lassen uns vorgeben, womit wir uns tagein und tagaus beschäftigen. Unsere Tage füllen. Rechte und Rassist*innen bestimmen unsere gesellschaftliche Agenda, geben uns Hausaufgaben. Die wir brav erledigen.

*»Worte können sein wie winzige Arsendosen, und
nach einiger Zeit ist die Wirkung da.«*

Victor Klemperer

Stellen Sie sich vor, wir würden die Sprache von islamistischen Radikalen übernehmen: Nichtmuslimische Menschen hießen fortan Ungläubige, *kuffar*. Die Attentäter vom 11. September wären »Helden«. Die deutschen oder die US-amerikanischen Streitkräfte würden *salibiyoun* genannt, also Armeen der Kreuzritter. Unsere Kanzlerin wäre eine *taghout*, eine unrechtmäßige Herrscherin. Und die Radikalen selber würden wir *mujahidun* nennen: diejenigen, die sich auf dem Weg Gottes anstrengen. Können Sie sich das vorstellen? Oder ist es egal, wessen Blick wir in unserer Sprache einnehmen?

In dem Moment, in dem ein Begriff wie »Gutmensch« zur Beleidigung wird, blicken wir auf die Engagierten und die Toleranten durch die Brille der Rechten. Wir setzen sie in einen Käfig und homogenisieren ein weites und heterogenes Spektrum von Menschen. Wir reduzieren sie auf wenige Facetten. Als der Gebrauch des Begriffes sich auf diese Weise wandelte, erlebten Menschen, die nie zuvor Benannte waren, erstmals, was es bedeutet, eingesperrt zu sein. Auf eine Kategorie reduziert zu werden. Diese Erfahrung ist auch der Grund, weshalb der Begriff *alter weißer Mann* die so Benannten derart erzürnt. Ihre Reaktion sollte ihnen einen Spiegel vorhalten, in dem sie jäh erkennen, wie erniedrigend und entmündigend es ist, wenn ein Mensch von anderen als bloße Kategorie betrachtet wird.

Rechtspopulist*innen können Helfende, Engagierte in der Geflüchtetenhilfe oder ökologische Aktivist*innen ruhig als »links-grün versiffte Gutmenschen« bezeichnen. Das ist an sich nicht das Problem. Dazu wird es erst, wenn der Begriff aus der Sprache der Rechten in den allgemeinen politischen Diskurs übernommen wird. Und wenn diejenigen, die abwertend als »Gutmenschen« bezeichnet werden, davon verunsichert sind. Wer möchte schon *naiv* oder *fahrlässig* sein, wer möchte sich wegen seines »weichen Herzens« übers Ohr hauen lassen? Wer möchte nicht *rational, realistisch, konsequent* und »hart im Nehmen« sein? Und so haben sich nicht wenige von ihnen gefragt: Bin ich zu links? Zu grün? Zu tolerant? Zu hilfsbereit? Zu nett? Zu gutgläubig? Zu naiv? Und nicht wenige kompensierten das, was ihnen zugeschrieben wurde, mit übertriebener Härte und Kälte. In diesem Moment geht die Selbstverständlichkeit von Pluralität, Engagement, Toleranz verloren, wird ersetzt durch den Drang nach Konformität, den Wunsch, denen zu gefallen, deren Gunst einzig durch Selbstaufgabe zu erreichen ist. Entnervt rollen sie mit den Augen, wenn jemand es wagt, über Werte und Moral zu sprechen. Nein, das machen nur Gutmenschen.

#ankerzentren #flüchtlingswelle #lügenpresse
#sozialschmarotzer #parasiten #rechtsbrecherin
#zensurgesetze #altparteienkartell #fassadendemokratie
#volksverräter #asyltourismus #tugendterror
#sprachpolizei #gutmenschentum #kopftuchmädchen
#snowflake #klimalüge #umvolkung #rapefugees
#messerstecher #meinungskartell

Jeder dieser Begriffe zwingt uns dazu, die Welt aus der Perspektive rechter Ideologie zu betrachten. Bertolt Brecht wies schon 1935 darauf hin, dass die Wahl der Begriffe den Faschismus stützen oder ihm Widerstand leisten kann: »Wer in unserer Zeit statt Volk Bevölkerung und statt Boden Landbesitz sagt, unterstützt schon viele Lügen nicht. Er nimmt den Wörtern ihre faule Mystik.«[5] So kann selbst das bewusste Nichtverwenden rechter Begriffe Widerstand sein. Widerstand gegen den Blick auf die Welt durch ihre Ideologie, durchfärbt mit Hass, Entmenschlichung und Verrohung.

Die Autorin und Aktivistin Noah Sow zeigt in ihrem Buch *Deutschland Schwarz Weiß*, wie »sprachliche Ungenauigkeit mithilft, den rassistischen Status quo zu erhalten«.

Sie tun das zum Beispiel, wenn Sie den Begriff »Rassismus« nicht in den Mund nehmen, weil Sie bei dem Wort zusammenzucken. Wenn Sie so agieren, ist das ein Zeichen dafür, dass Sie Rassismus lieber ausblenden und nicht beim Namen nennen wollen. Das geschieht unter anderem immer dann, wenn die Vokabeln »ausländerfeindlich«, »fremdenfeindlich« und »rechtsradikal« gerade im Zusammenhang mit rassistisch motivierten Straftaten falsch verwendet werden. Das Ignorieren oder Verdrängen von Rassismus ist aber eine große Hürde auf dem Weg zu seiner Überwindung.[6]

Wie aktuell ihr Befund ist, zeigt sich beinahe jedes Mal, wenn wie bei den rechtsterroristischen Anschlägen in Bottrop und Essen, bei dem ein Mann in der Silvesternacht 2018 mit dem Auto gezielt in Menschenmassen fuhr und mindestens acht Menschen verletzte, von »Fremdenfeindlichkeit« statt von Rassismus die Rede ist.[7] Es darf bei der Wahl unserer Worte nie nur um konservatorische Belange gehen, es muss eine Rolle spielen, welche Ideologien, welche Ungerechtigkeiten sie stützen. In diesem Sinne geht es bei gerechter Sprache gerade *nicht* um Partikularinteressen – sondern darum, dass Sprache sich wandeln darf, um sich an Menschenrechten, Gerechtigkeit, Gleichberechtigung und Chancengleichheit zu orientieren.

Es gibt Menschen, die es als besonders mutig darstellen, »politisch unkorrekte« Sprache zu verwenden. Diese Menschen sind weder konservativ noch traditionsbewusst, im Grunde revoltieren sie auch nicht gegen politische Korrektheit, sondern gegen Gerechtigkeit. In ihrem Beharren auf ächtende Sprache verhalten sie sich nicht rebellisch, sondern *unterdrückungsgehorsam*. Sie bekennen sich zur Ächtung von Menschen.

»Es gibt keine Sprachpolizei oder Zensur«, schreibt die Autorin und Aktivistin Tupoka Ogette. Jeder dürfe alles sagen, müsse aber auch Verantwortung für das eigene Sprechen übernehmen: »Wenn du das N-Wort benutzt, dann tue es in dem Bewusstsein darüber, dass du dich damit bewusst rassistisch verhältst und Menschen damit verletzt. Du bist nicht mehr unschuldig.«[8]

Wer also trotz der Auseinandersetzung mit einer gerechteren Sprache auf der Verwendung ächtender Sprache beharrt, der bekennt sich zur Ächtung von Menschen und positioniert sich bewusst *gegen* Gerechtigkeit, *gegen* die Gleichstellung der Geschlechter – für rassistische, sexistische, menschenfeindliche Sprachnutzung.

Manchmal entgleiten den Rechten Begriffe, die nicht für unsere Ohren gedacht waren und ihre Sicht entlarven. So etwa, als die AfD von ihrem Vorsitzenden Alexander Gauland als »Kampfgemeinschaft« bezeichnet wurde.[9]

Spätestens seit diese offen rassistische Partei mit offen rechtsextremen Mitgliedern in den deutschen Bundestag einzog, ist die Kritik an der medialen Reaktionslogik lauter geworden. Das Bewusstsein dafür, dass wir in den vergangenen Jahren auf kalkulierte Provokationen hereingefallen sind, ist gewachsen. Als Gauland 2016 behauptet hatte, »die Leute« würden den deutschen Fußball-Nationalspieler Jérôme Boateng nicht zum Nachbarn haben wollen, war noch ausführlich in den Medien darüber diskutiert worden, ob Boateng ein guter Nachbar sei. Es gab Beiträge darüber, wer ihn zum Nachbarn haben wollte, andere machten sich über Gauland lustig, wieder andere führten Interviews mit Boatengs Ex-Nachbar*innen oder führten vermeintlich lustig gemeinte Umfragen durch, in denen Passant*innen sich zwischen Gauland und Boateng entscheiden sollten. So stand tatsächlich die Frage im Raum: Können Schwarze Menschen gute Nachbar*innen sein? Was für ein Armutszeugnis.

Warum funktionieren solche Provokationen? Fragen wir uns selbst: Warum fühlen wir uns dazu berufen, zu reagieren? Weil diese Provokationen Gelegenheiten sind, uns moralisch erhaben zu fühlen? Weil wir glauben, es sei unser journalistischer Auftrag? Weil wir nicht erkennen, dass unsere Empörung ihre Währung ist? Weil wir Anstand voraussetzen bei denen, die keinen besitzen? Weil wir uns insgeheim voyeuristisch berauschen an der Unverschämtheit, weil es endlich »aufregend« wird?

Wir haben die AfD so groß gemacht, wie sie es heute ist. Indem wir ihre Provokationen durch unsere Diskussionen legitimierten. Indem wir ihren Hass zur Meinung erkoren haben. Indem wir ihre Menschenfeindlichkeit, ihren Rassismus, ihren Antisemitismus, ihren Sexismus zu legitimen Perspektiven geadelt haben.

Das Interessante, das Enttäuschende ist: Ich kenne diesen Mechanismus aus vielen muslimischen Gemeinschaften in Deutschland, die insbesondere nach dem 11. September 2001 einen Großteil ihrer Energie in Reaktion auf Angriffe von außen investierten: Angriffe von islamistischen Radikalen, die vorgaben, im Namen aller Muslim*innen zu handeln; und von der medialen und politischen Öffentlichkeit, die Muslim*innen kriminalisierte, stigmatisierte und auf die Handlungen der Radikalen reduzierte – deren Anspruch, die einzig wahren Vertreter des Islams zu sein, sie damit beglaubigte.

Viel Zeit, Energie, Mühe und Aufmerksamkeit wurde aufgewendet, um der Welt Selbstverständlichkeiten zu erklären. Wir antworteten auf die absurdesten Fragen, distanzierten uns von Gräueltaten, obwohl schon die Unterstellung, wir würden dem Morden, dem Blutvergießen, dem Leid, der Brutalität, der Abscheulichkeit in irgendeiner Hinsicht zustimmen, entwürdigend ist.

Nehmt das nicht persönlich, hieß es, wenn wir darauf hinwiesen, wie verletzend die Vorwürfe sind. *Seid nicht so emotional.* Und so schalteten wir, um die irrationalen Ängste besorgter Bürger*innen nicht zu bestärken, unsere Emotionen aus.

Und jetzt? Fast zwei Jahrzehnte später? Wenn ich zurückblicke, sehe ich, wie die ewige Verteidigungshaltung dazu führte, dass wir innerislamische Diskussionen vernachlässigt haben. Aus Angst davor, jemand könnte solche Diskussionen instrumentalisieren, haben wir vermieden, Missstände innerhalb unserer Gemeinschaften – Sexismus, Antisemitismus, Radikalisierung, Rassismus – ausreichend zu kritisieren. Aus lauter Angst, Öl ins Feuer zu gießen, haben wir auch kein Wasser gegossen.

Über die Jahre drohten wir so den Blick für uns selbst zu verlieren, für das, was *uns* bewegt – aus uns heraus. Wir haben immer weniger *miteinander* gesprochen und immer mehr *übereinander* in der Öffentlichkeit. Uns gingen die Räume für ein Gespräch verloren, das frei ist vom Wettstreit darum, Gehör zu finden und vom nichtmuslimischen Publikum bescheinigt zu bekommen, der *gute* Muslim zu sein.

Ich frage mich: Wie wäre es, wenn wir nicht so sehr darum besorgt wären, was andere über uns und unsere Religion denken? Womit würden wir uns beschäftigen? Würden wir anders umgehen mit denjenigen, die unsere Religion instrumentalisieren? Denjenigen, die es auf unser Zusammenleben, auf unsere Vielfalt und nicht zuletzt auf unsere Kinder abgesehen haben: als Munition für ihre Kriege und gewaltvollen Machtfantasien? Würden wir auf Bildung setzen statt auf Rhetorik? Auf Wissen statt auf Verteidigungsgefechte? Denn es ist diese ewige Verteidigungshaltung, die uns zwanghaft homogenisiert.

Dasselbe Muster wiederholt sich nun innerhalb der Mehrheitsgesellschaft: Indem wir uns die politische Agenda von populistischen Rechten und Rechtsextremen diktieren lassen, vernachlässigen wir die Diskussion der wirklich relevanten Themen. Sie geben uns Themen vor, und wir reagieren brav und vorhersehbar. Die Sendung *Monitor* untersuchte alle Polit-Talkshowsendungen des Jahres 2016 bei ARD und ZDF und stellte fest: Mehr als die Hälfte der insgesamt 141 Sendungen behandelte Themen wie Flüchtlinge, Flüchtlingspolitik, Islam, Gewalt und Terrorismus, Populismus und Rechtspopulismus. Kein einziges Mal wurden Themen wie Kohle- oder Atomausstieg, die Bildungspolitik oder der weltweit Schlagzeilen machende Abgasskandal diskutiert.[10]

Wenn also immer mehr junge Menschen massenhaft auf die Straßen gehen, dann rebellieren sie auch gegen die Aufmerksamkeitsdiktatur der Rechten und gegen die Regierenden, die sich dieser Diktatur unterwerfen. Klima, Umwelt, Bildung, Gesundheit, soziale und Generationengerechtigkeit, der Schutz von Minderheiten – all diese Themen wurden und werden zugunsten der Themensetzung der Rechten vernachlässigt.

Nicht umsonst leugnen Rechte die Klimakrise. Nicht umsonst wollen sie verhindern, dass wir auf eine Weise auf die Welt blicken, die den Weg für globale Solidarität mit den ärmsten Ländern und Menschen bereitet. Wenn wir die Klimakrise ernst nehmen, ist es unvermeidbar, dass nationale Interessen dem Bewusstsein weichen: Wir sind viele verschiedene Länder, Staaten und Nationen, aber nur *eine gemeinsame* Menschheit auf *einer gemeinsamen* Erde.

Was also tun? Wie können wir den Rechten entgegentreten, ohne sie durch unsere Reaktionen unwillentlich zu stärken? Beispielsweise, indem wir sie mit den Folgen ihrer Worte konfrontieren. Und indem wir ihre Strategien entlarven. Indem wir ihrer Behauptung, sie sprächen für »das Volk«, nicht auf den Leim gehen, indem wir ihre Begriffe nicht übernehmen, ihrer Logik nicht folgen. Indem wir klarmachen: Unsere politische Sprache ist das Schlachtfeld einer rechtsextremen »Kampfgemeinschaft«. De facto streiten wir gerade darum, durch wessen Brille wir auf die Gesellschaft schauen. Wen wir als uns nah empfinden, als Freund, und wen als fremd, als Feind. Wie Victor Klemperer einst schrieb: Man spricht die »Sprache des Siegers« nicht »ungestraft, man atmet sie ein und lebt ihr nach«.[11]

Wir müssen aufhören zu reagieren. Und stattdessen die Themen und Fragestellungen auf die Tagesordnung setzen, die uns als Gesellschaft voranbringen. Denn die reaktive Haltung überlässt das politische Spielfeld den Agierenden. Und wir verkommen zu den ewig Getriebenen. Der Investigativjournalist Ron Suskind zitierte 2004 in einem Artikel einen politischen Berater des US-Präsidenten George W. Bush mit folgenden Worten:

Wir sind jetzt ein Imperium, und wenn wir handeln, erschaffen wir unsere eigene Realität. Und während ihr diese Realität analysiert (...), handeln wir erneut, erschaffen andere neue Realitäten, die ihr dann ebenfalls analysieren könnt. Wir sind die Handelnden der Geschichte (...), und ihr alle werdet euch damit begnügen müssen, zu analysieren, was wir tun.[12]

Sie müssen keine Weltmacht sein, um die kulturelle oder diskursive Hegemonie zu besitzen. Um zu diktieren, womit sich die Öffentlichkeit beschäftigen soll. Und während Rechtsextreme sich als *Underdogs* inszenieren, als die mutigen, marginalisierten, ausgeschlossenen, armen, bemitleidenswerten Vertreter*innen der »kleinen Leute« und des »wahren Volkes«, kreieren sie neue Realitäten. Und wir laufen ihnen hinterher. Reagieren. Reagieren. Reagieren. Bis wir uns selbst vergessen.

DER ABSOLUTHEITSGLAUBE

Der Mensch ist in keinem Subjekt.
Denn der Mensch ist nicht in einem bestimmten
Menschen.

Aristoteles

Für das Allerwichtigste gegenüber der Gefahr einer
Wiederholung halte ich, der blinden Vormacht aller
Kollektive entgegenzuarbeiten, den Widerstand
gegen sie dadurch zu steigern, dass man das Problem
der Kollektivierung ins Licht rückt.

Theodor W. Adorno

Die Tolerierung dieser Vielfalt, Vieldeutigkeit und
Ungewissheit ist kein Fehler oder gar eine Sünde.
Gewissenhaftes Nachdenken zeigt, daß sie zu dem
Preis gehören, den wir unausweichlich dafür
bezahlen, daß wir Menschen und keine Götter sind.

Stephen Toulmin

Die Welt braucht keine Kategorien. Wir Menschen sind es, die
sie brauchen. Wir konstruieren Kategorien, um uns durch diese
komplexe, widersprüchliche Welt zu navigieren, um sie irgendwie zu begreifen und uns über sie zu verständigen.

Wir brauchen Kategorien. Wer probieren würde, alles auf
dieser Welt – Menschen, fremde wie bekannte, Tiere, große wie
kleine, Gerüche und Geräusche, alle Informationen, die auf uns

einprasseln – ungefiltert und unkategorisiert wahrzunehmen, würde von Reizen überflutet werden und in ihnen ertrinken.

Wir brauchen Kategorien. Die Einordnung und Kategorisierung unserer Umgebung hilft uns Menschen dabei, Muster zu erkennen, schnelle Entscheidungen zu treffen und zu reagieren, in Gefahrensituationen beispielsweise. In solchen Momenten berufen wir uns auf Bilder und Informationen, die wir lange zuvor abgespeichert haben. Die Welt in Kategorien zu betrachten ist also eine Notwendigkeit.

Wann aber werden die Kategorien, die wir konstruieren, um die Welt zu begreifen, zu Käfigen? Wann wird unsere Freiheit zur Unfreiheit anderer?

Es ist der *Absolutheitsglaube*, der aus Kategorien Käfige macht. Also die vermessene Vorstellung, die eigene begrenzte, limitierte Perspektive auf diese Welt sei komplett, vollständig, universal. Der Hochmut, zu glauben, einen anderen Menschen in seiner ganzen Komplexität abschließend verstehen zu können. Oder gar eine ganze konstruierte *Kategorie* von Menschen abschließend verstanden zu haben. Mehr als 70 Millionen Menschen werden zu *dem* Geflüchteten. 1,9 Milliarden Menschen werden zu *dem* Muslim. Die Hälfte der Weltbevölkerung wird zu *der* Frau. *Der* Schwarze Mann. *Die* Frau mit Behinderung. *Der* Afrikaner. *Die* Homosexuelle. *Der* Gastarbeiter. *Die* non-binäre Person.

Niemand, keine Einzelperson, keine Gesellschaft, kann für sich beanspruchen, alles Wissen in sich zu vereinen. Und doch existiert dieser Anspruch – er wird von Menschen, Ideologien, Kulturen vertreten, er führt zu einem Anspruch auf Macht und damit zu Unterdrückung – mal gewaltsamer und offensichtlicher, mal leichter und subtiler. Es ist, wie Michel Foucault schrieb: »Wo es Macht gibt, gibt es Widerstand.«[1]

Woher aber kommt der Absolutheitsglaube? Normalerweise entscheiden sich Menschen nicht bewusst dafür, andere Menschen oder Menschengruppen zu verachten und ihrer Menschlichkeit zu berauben. Vielmehr werden wir dazu erzogen – wir alle, egal, ob wir Leidtragende oder Nutznießer dieser Mechanismen sind. Wir werden dazu erzogen, die uns umgebenden Wände für unverrückbar zu halten. Und so realisieren wir nicht einmal, dass unsere Perspektive eingeschränkt ist, wir halten sie tatsächlich für umfassend.

Unser Denken und unsere Wahrnehmung werden so subtil geformt, dass wir es meistens nicht einmal bemerken. Der US-amerikanische Kognitionspsychologe John Bargh hat Formen der unbewussten Beeinflussung unseres Handelns untersucht und nennt eindrucksvolle Beispiele dafür, dass unsere Vorstellung, selbstbestimmt und autonom zu handeln, gewissermaßen eine Illusion ist. So hat selbst unser Temperaturempfinden einen Einfluss darauf, wie sympathisch wir einen Menschen beim Kennenlernen finden. Bargh beschreibt einen Versuch, bei dem Testpersonen von einem Team-Mitglied begrüßt und zum Labor begleitet wurden. Dabei bat das Team-Mitglied sie, kurz einen Kaffee (warm) beziehungsweise einen Iced Coffee (kalt) zu halten, damit es ein Formular heraussuchen könne. Die Testpersonen hielten das jeweilige Getränk etwa zehn Sekunden lang, anschließend wurden ihnen im Labor Personenbeschreibungen vorgelegt, und sie sollten bewerten, wie sympathisch ihnen die jeweils beschriebene Person sei. Das Ergebnis: Wer zuvor einen warmen Kaffeebecher in der Hand hatte, bewertete dieselben Personen als sympathischer als diejenigen, die zuvor einen Iced Coffee hielten.[2]

Ein anderes Beispiel ist die Art, wie durch Architektur und Stadtplanung unser Verhalten im öffentlichen Raum bestimmt wird. Die Gestaltung der städtischen Landschaft leitet uns fast automatisiert durch die Bahnen der früh eingeübten Verkehrsregeln: Fußgänger*innen auf dem Fußweg. Radfahrende auf dem

Radweg, Autofahrende auf der Straße. Wer seinen Pfad verlässt, wird sanktioniert. Wie wir von A nach B kommen, ist so sehr reguliert, dass wir im Laufe der Zeit sogar lernen, unsere natürlichen Sinne zu ignorieren.

Das Ausmaß fällt Ihnen vielleicht erst dann auf, wenn Sie mit einem Kleinkind unterwegs sind. Es läuft nicht bewusst »auf die Straße«, es hat einfach noch kein Bewusstsein für die Unterscheidung von Straße, Fußweg und Radweg. Genauso absurd erscheint es dem Kind, wenn es dann plötzlich (beim Umschalten der Ampel) vollkommen ungeschützt über dieselbe Straße laufen soll, die es eben noch nicht betreten durfte und auf der sich immer noch von rechts und links diese gefährlichen Autos nähern, vor denen es ständig gewarnt wird. Als mein Sohn knapp zwei Jahre alt war, streckte er bei jeder Überquerung einer großen Straße den sich nähernden Autos seine Hand entgegen und simulierte so ein »Stopp«. Dass uns diese Farbleuchten, *Ampeln*, diese im Grunde absurde Vorstellung von Sicherheit bieten, musste er erst lernen. Lernen, seinen Sinn für Gefahr zugunsten eines grünen Lichts zu ignorieren.

Natürlich ist Verkehrsregelung sinnvoll. Aber darum geht es nicht, sondern darum, dass wir unser Bewusstsein dafür schärfen, wie die Gestaltung der Umgebung unsere Wahrnehmung gezielt formt. Nehmen wir ein weiteres Beispiel aus der Stadtplanung: die sogenannte defensive Architektur (im Englischen manchmal als *hostile* oder *aggressive architecture* bezeichnet), mit der insbesondere touristische Orte frei von sichtbarer Armut und Anzeichen sozialer Ungleichheit gehalten werden sollen. Sind Ihnen schon einmal die Armlehnen aufgefallen, die Parkbänke unterteilen? Viele Menschen empfinden sie als willkommene Neuerung – unwissend, dass sie nicht in erster Linie für ihre müden Unterarme gedacht sind, sondern um zu verhindern, dass Obdachlose auf den Bänken schlafen. Damit verlässt eine gesellschaftliche Realität – ein sichtbarer Hinweis auf Armut und Lücken in unserem Sozialsystem – das Wahrnehmungsfeld von Nichtbetroffenen. Obdachlose werden mit Mitteln des Designs aus öffentlichen Räumen gedrängt, ohne dass es den Obdachbesitzenden auffällt.

Auch mir fiel es erst auf, als ich darauf hingewiesen wurde. So wie mir auch lange nicht auffiel, in welchem Maße unsere Architektur Rollstuhlfahrende behindert. Als ich vor einigen Jahren zu meinem Geburtstag Freund*innen einlud, darunter auch einige, die sich mit einem Rollstuhl fortbewegen, fragte ich mich hinterher, ob sie überhaupt Zugang zu unserer Wohnung haben würden. Ich war nervös. Wie unaufmerksam von mir, nicht vorher zu recherchieren. Erleichtert stellte ich nach einigem Abmessen und Herumfragen fest: Ja, sie würden ins Haus kommen und durch unsere Wohnungstür fahren können. Allerdings waren unsere Toiletten nicht zugänglich für sie. Am Ende erklärte sich ein Hotel in der Straße bereit, ihre behindertengerechten Toiletten unseren Gästen bei Bedarf zur Verfügung zu stellen.

Für mich war diese Erfahrung sehr lehrreich. Ich spürte abermals, was es bedeutet, privilegiert zu sein. Und ich lernte: Wir können die restriktiven Strukturen unserer Gesellschaft nicht allein durch gute Absicht und unser individuelles Bestreben überwinden. Wir müssen uns fragen: Für *wen* gestalten wir unsere Welt – unsere Städte, unsere Infrastruktur, die Anlage unserer Gebäude, aber auch Technologie, Politik, Wirtschaft, Sicherheit und medizinische Betreuung?

Wussten Sie, dass nur jede achte Frau bei einem Herzinfarkt Brustschmerzen hat? Das oft beschriebene Stechen ist viel häufiger bei Männern Anzeichen eines Herzinfarktes, während Frauen eher unter Übelkeit oder Schmerzen in den Kiefern, den Schultern und dem Rücken leiden.[3] Und während es bei Männern durchschnittlich 20 Minuten dauert, bis ein Herzinfarkt identifiziert und ärztliche Hilfe organisiert ist, braucht es bei Frauen 40 bis 45 Minuten. Doppelt so lange also, so dass für Frauen das Risiko, an einem Herzinfarkt zu sterben, höher ist als für Männer. Der Grund für die Diskrepanz ist schlicht, dass Herzinfarkte bei Männern besser erforscht sind.[4] Die Journalistin Caroline Criado Perez bezeichnet den Mangel an Daten zu Frauen in diesen und vielen anderen Bereichen als »Gender Data Gap«. Sie stellt auch fest: Dieses Informationsgefälle ist kein Zufall – die meisten der Daten, auf deren Auswertung die Gestaltung unserer Lebensbereiche beruht, werden anhand von Männern erhoben.[5]

Als ich das Beispiel des unterschiedlichen Herzinfarktrisikos bei einer Podiumsdiskussion verwendete, sprachen mich hinterher zwei Ärzte an. Das könne so gar nicht stimmen, sagten sie, es gäbe keine Unterschiede bei Herzinfarkt-Symptomen von Männern und Frauen. Es war, als fühlten sie sich persönlich in ihrer Professionalität angegriffen.

Es ist jedoch kein Angriff, einem Menschen seine und unser *aller* Begrenztheit zu demonstrieren. Das Bewusstsein dafür sollte erstrebenswert für jeden Menschen sein – *gerade* für Menschen mit überdurchschnittlichem Bildungsgrad und hoher Expertise. Wer Jahre damit verbracht hat, sich spezifisches Wissen anzueignen, sollte auch wissen, dass es ein unmögliches Unterfangen ist, jemals zu Ende zu lernen. Ein offener Blick auf die Architektur unseres Seins ist vielmehr ein Geschenk: eine Gelegenheit, die Mauern zu sehen, die zwischen uns und dem Rest der Welt stehen.

Die Stabilität von Staaten und Religionen beruht,
das zeigt sich jetzt in aller Einfachheit und Klarheit,
nicht in erster Linie auf Institutionen, nicht mal auf
Macht und Gewalt, sondern auf etwas ganz anderem:
auf der Demut der Gedemütigten. Und damit
geht es nun zu Ende, diese Ressource ist fast völlig
aufgebraucht. Darum bebt die Erde.

Bernd Ulrich

Sind die Benennenden vielleicht einfach *neugierig* auf die Menschen hinter den Glaswänden? Interessieren sie sich denn nicht einfach nur dafür, woher sie kommen (also *wirklich* kommen), wie sie lieben, glauben, leben und fühlen? Nein, denn solange ihr Glaube an die Absolutheit ihrer Wahrnehmung unangetastet bleibt, ist diese Art der Neugier nichts anderes als ein Teil der Inspektion der Benannten. Eine Art, Macht auszuüben.

Wäre diese Neugier frei von Macht, dann würden sich beide Menschen gegenseitig befragen, respektvoll und auf Augenhöhe. Es würde sich nicht nur eine Person entkleiden, während die andere interessiert zuschaut. Oder gar der Inspizierten die Kleider vom Leibe reißt, sie untersucht, ihr ins – pardon – »Maul« schaut.

Während einer nächtlichen Zugfahrt zwischen Berlin und Hamburg setzte sich ein junger weißer Mann zu mir, der bei der sozialen Umweltbewegung Fridays for Future engagiert war. Er habe meine Arbeit begeistert verfolgt, sagte er und fragte, ob ich ein Statement für ihren bevorstehenden Kongress abgeben könne. Wir kamen ins Gespräch. Nach einiger Zeit schaltete sich ein älterer weißer Mann ein und fragte den jungen Mann, ob er eine Parteizugehörigkeit habe. Dieser antwortete zögerlich und gab die Frage zurück, woraufhin der ältere Mann auswich und stattdessen mit dem Titel eines linken Magazins antwortete, bei dem er offensichtlich arbeitete. Dann drehte sich der Mann zu mir und fragte mich: »Und Sie?« Ich antwortete, dass ich keine

Parteimitgliedschaft habe. »Nee, woher Sie kommen«, sagte er. »Was meinen Sie? Von welchem Event?«, fragte ich zurück, weil es gerade um eine Veranstaltung gegangen war, die der junge Mann besucht hatte. Er schüttelte den Kopf und lächelte vielsagend. »Wollen Sie wissen, aus welcher Stadt ich komme?«, fragte ich. Stille. Er lächelte unbeirrt. »Sie wollen wissen, aus welchem Land meine Eltern ursprünglich kommen?«, fragte ich weiter. Der junge Mann versank beschämt in seinem Sitz, der ältere nickte. Ich seufzte. »Meine Eltern sind türkeistämmig«, sagte ich. Und wie aufs Stichwort schoss er sofort nach: »Und Sie? Sind traditionell und religiös, ja?«

Entnervt drehte ich mich weg. Der junge Mann versank noch ein wenig mehr in seinem Sitz, doch plötzlich richtete er sich auf und fragte mich, so dass alle Umsitzenden es hören konnten: »Von welchem Event kommst du denn gerade?«

Warum steht hinter seiner Frage respektvolle Neugier, während die des Älteren nur als Inspektion bezeichnet werden kann? Weil der junge Mann mich so viel fragte, wie er selbst bereit war, über sich preiszugeben. Weil er nicht fragte, um mich zu kategorisieren, sondern weil er an mir als Mensch interessiert war. Er begegnete mir von Anfang an als Individuum. Wäre es irgendwie für unser Gespräch relevant gewesen – beispielsweise, wenn wir über Mehrsprachigkeit gesprochen hätten –, hätte er mich natürlich auch nach meinen Eltern und Großeltern fragen können. Dem älteren Mann dagegen ging es allein darum, seine Annahme über »Frauen wie mich« bestätigt zu sehen.

Neugier ist nicht gleich Neugier. Kategorie ist nicht gleich Kategorie. Es ist der Absolutheitsglaube, der den Unterschied ausmacht. Es ist der Absolutheitsglaube, der das Objekt der Neugier seiner Menschlichkeit beraubt.

Der Islamwissenschaftler und Arabist Thomas Bauer bezeichnet diesen Glauben als *Universalisierungsehrgeiz* und beschreibt ihn als Gegensatz zum *Perspektivbewusstsein*, angelehnt an Friedrich Nietzsche, der geschrieben hatte, dass lediglich perspektivisches Sehen möglich sei, kein objektives – und dass sich der »Objektivität« nur durch den Einsatz zahlreicher Perspektiven näherkommen lasse.[6] Anderen die eigene Perspektive zu verordnen sei eine »lächerliche Unbescheidenheit«.[7]

Doch wie lassen sich diese Gedanken umsetzen? Wie können wir das bestehende Wissen um andere Perspektiven bereichern? Und wie können wir Denkprozesse, Erkenntnisprozesse vorstellbar machen, bei denen unterschiedliche Perspektiven von vornherein koexistieren? Bauer schlägt das Konzept der *kulturellen Ambiguität* als Lösung vor, das er wie folgt definiert:

> Ein Phänomen kultureller Ambiguität liegt vor, wenn über einen längeren Zeitraum hinweg einem Begriff, einer Handlungsweise oder einem Objekt gleichzeitig zwei gegensätzliche oder mindestens zwei konkurrierende, deutlich voneinander abweichende Bedeutungen zugeordnet sind, wenn eine soziale Gruppe Normen und Sinnzuweisungen für einzelne Lebensbereiche gleichzeitig aus gegensätzlichen oder stark voneinander abweichenden Diskursen bezieht oder wenn gleichzeitig innerhalb einer Gruppe unterschiedliche Deutungen eines Phänomens akzeptiert werden, wobei keine dieser Deutungen ausschließliche Geltung beanspruchen kann.[8]

Als ein Beispiel aus der europäischen Geschichte nennt Bauer die Bewunderung für die heidnische Antike in der Renaissance – oftmals ohne dass dies als Widerspruch zum Christentum verstanden wurde. Besonders viele Beispiele für eine Kultur der Ambiguitätstoleranz stammen jedoch aus arabischen Gesellschaften, etwa die Literaturen des Nahen Ostens zwischen dem

12. und dem 19. Jahrhundert, in denen gerade das gelungene Spiel mit der Vieldeutigkeit und schillernden Qualität von Sprache Ausweis von Kunstfertigkeit und Gelehrsamkeit war.

Bauer führt den christlichen libanesischen Gelehrten und Dichter Nasif al-Yazidji an, dessen literarische Ambiguität der Leipziger Arabist Heinrich Leberecht Fleischer, ein Zeitgenosse al-Yazidjis, kritisierte. Bauer beschreibt diese Bewertung als »Paradebeispiel« nicht nur »für die moderne westliche Verurteilung der Ambiguität, sondern auch für den westlichen Universalisierungsehrgeiz«:[9]

Der Sheikh Nasif (al-Yazidji) war einer der wichtigsten Vertreter der arabischen Literatur seiner Zeit (des 19. Jahrhunderts). Er war griechisch-katholischer Christ und dem Westen gegenüber sehr aufgeschlossen. In seiner Literatur und seiner Gelehrsamkeit setzte er aber unbeirrt die klassische Tradition fort – sehr zum Leidwesen westlicher Autoren wie Fleischer, der al-Yazidji zwar prinzipiell schätzte, aber sein Verharren in der Tradition für einen schwerwiegenden Fehler hielt. Als wichtigstes Problem erschien ihm dabei gerade die Lust an der Ambiguität – beziehungsweise, um es mit Fleischer zu sagen, die unfruchtbare Kunstspielerei –, die alle Werke al-Yazidjis prägt.[10]

Die Ambiguität, die Bauer beschreibt, betrifft allerdings nicht nur unterschiedliche Wortbedeutungen. Besonders spannend finde ich, wie das Benennen eines Menschen funktioniert.

Wen bezeichnen wir in der deutschen Sprache als »fremd«? Der Duden definiert den Begriff u. a. wie folgt: »nicht dem eigenen Land oder Volk angehörend; eine andere Herkunft aufweisend«.

Doch woher *wissen* wir, welche Person »eine andere Herkunft« aufweist? In der populären Wahrnehmung entsteht solche Gewissheit vor allem infolge der Wahrnehmung äußerer Merkmale wie Sprache, Kleidung oder Physiognomie. Menschen werden als »fremd« bezeichnet, weil sie so oder so aussehen oder klingen. Die Benennung, die Kategorisierung ist damit abgeschlossen, ohne dass die benannte Person ein Mitspracherecht hatte.

Doch ist der Vorgang der Benennung eines Menschen auch anders vorstellbar?

Thomas Bauer beschreibt eine Situation, die sich im Jahr 1400 zwischen dem Historiker Ibn Khaldun und dem Mamlukensultan Timur (Tamerlan) ereignet haben soll. Bei einer Audienz habe Timur Ibn Khaldun ihn gefragt, was er für ihn tun könne.

> Ibn Khaldun (antwortete): »Ich bin in diesem Land ein Fremder hinsichtlich zweier ›Fremden‹, einer des Maghribs, wo ich geboren und aufgewachsen bin, und einer Kairos, weil dort die Leute meines Umfelds sind. Nun bin ich in den Bereich deines Schattens gelangt und bitte dich, mir zu raten, was mich in dieser Fremde Vertrautheit erlangen lässt.«
>
> »Sag mir, was du wünschst«, entgegnete Timur, »und ich will es für dich tun.«
>
> »Der Zustand des Fremdseins hat mich vergessen lassen, was ich wünsche«, sprach daraufhin Ibn Khaldun. »Vielleicht kannst aber du – Gott stärke dich – mir sagen, was ich will.« (…)
>
> Ibn Khaldun ist nicht fremd, weil er in Damaskus ist, sondern weil er *nicht* in Tunis und in Kairo ist. Er spricht deshalb nicht von der *Fremde von Damaskus*, sondern von der *Fremde von Tunis und Kairo*. Deshalb der Dual.[11]

Das Spannende ist: Fremdsein wird hier nicht einfach durch Außenstehende definiert und dem Betroffenen zugeschrieben, sondern die Beschreibung erfolgt durch den Betroffenen selber. Noch deutlicher wird dies in einem weiteren Beispiel Bauers.

Der Rechtsgelehrte und Reisende Ibn Battuta erreichte per Schiff im Jahr 1325 Tunis, unweit seiner Heimatstadt Tanger gelegen. Beide Städte hatten eine ähnliche Kultur, in ihnen wurde die gleiche Sprache gesprochen. Bei seiner Ankunft wurde er von niemandem begrüßt, was dazu führte, dass er sich von dem Gefühl der Fremdheit überwältigt fühlte. So habe er in seinem Reisebericht gesagt:

> »Nun gingen alle aufeinander zu, um einander zu begrüßen; nur mich grüßte keiner, weil mich niemand kannte. Dies ließ mich in meiner Seele einen Schmerz verspüren, der es mir unmöglich machte, meine strömenden Tränen zurückzuhalten, und ich weinte bitterlich. Doch einer der Pilger bemerkte, wie mir zumute war, und wandte sich mir zu mit einem Gruß und tröstete mich durch seine Gesellschaft.«[12]

Ibn Battutas Sekretär fügt diesem Reisebericht die Schilderung eines anderen Gelehrten hinzu. Auch dieser Reisende kam an einem Ort an, an dem er nicht begrüßt und willkommen geheißen wurde. Dies fiel – ähnlich wie bei Ibn Battuta – jemandem auf, der zu ihm eilte und sagte: »Als ich sah, wie du abseits von den Menschen standest und keiner dich grüßte, merkte ich, daß du ein Fremder bist, und ich wollte dich durch meine Gesellschaft trösten.« Bauer schlussfolgert:

Auch hier wird die Fremdheit des Fremden durch die Wiederherstellung von Vertrautheit überwunden oder zumindest gemildert. Fremdheit ist also in der Wahrnehmung des Angehörigen der klassischen arabischen Zivilisation kein Merkmal der Herkunft, Abstammung, Rasse oder Sprache, sondern ein emotionaler Mangel im sich als fremd empfindenden Individuum. Sie ist damit auch kein permanentes Merkmal, sondern ein prinzipiell überwindbarer Zustand. Vor allem wird Fremdheit von der Person aus gedacht, die sich selbst als fremd empfindet. (…) Nirgends ist der Fremde deshalb fremd, weil er von außen kommt und durch sein Anderssein als nicht hierhergehörig empfunden wird.[13]

Könnte das modellhaft für ein Sprechen sein, bei dem wir die Perspektiven der Menschen, *mit* denen und *über* die wir sprechen, einbeziehen, so dass diese während des Sprechens selbstbestimmt bleiben? So wäre niemand der Absolutheitsmacht und Definitionshoheit einer anderen Person ausgesetzt.

Eine Person kann ja durchaus als *Schwarzer Mann* oder *kopftuchtragende Frau* bezeichnet werden. Zum Problem werden die Bezeichnungen erst, wenn sie dauerhaft die einzige Kennzeichnung dieser Personen bleiben, obwohl es andere Wahrnehmungsebenen gäbe, die herangezogen werden könnten.

Stellen Sie sich eine feministische Konferenz vor, bei der Männer in der Minderheit sind. Während der gesamten Dauer der Konferenz werden sie ohne individuelle Qualifizierung als »die Männer« bezeichnet und miteinander verwechselt. Sie werden dauerhaft und einzig über ihr Geschlecht wahrgenommen.

Stellen Sie sich eine internationale Firmenfeier vor. Die Menschen kommen aus unterschiedlichen Ländern, das deutsche Team ist in der Minderheit. Sie werden die gesamte Feier über ohne individuelle Qualifizierung als »die Deutschen« bezeichnet und miteinander verwechselt. Sie werden dauerhaft und einzig über ihre (vermeintliche) Herkunft wahrgenommen.

Stellen Sie sich vor, dass diese Erfahrung nicht auf wenige und vorübergehende Situationen beschränkt bleibt, sondern ein Leben lang anhält.

Wäre das Museum der Sprache anders denkbar? Ohne Unbenannte, die eine unhinterfragte Norm darstellen, weil *alle* Menschen zugleich Benennende und Benannte sind? In dem alle die Möglichkeit haben, so zu sprechen, dass andere die Welt durch ihre Augen betrachten können? Ein Ort, an dem alle *frei* sprechen können?

Doch wie kann ein Mensch, der gelernt hat, durch die Augen anderer auf sich selbst zu blicken, nicht nur seine eigene Perspektive finden, sondern diese auch zur Sprache bringen?

Wie soll das gehen: *frei* sprechen?

FREI SPRECHEN

Einst schrieb mir ein Mann eine Morddrohung. Ich war Anfang zwanzig und Kolumnistin einer deutschen Tageszeitung, der Kommentarbereich unter meinen Texten ein beliebter Ort engagierter Hasskommentatoren.

Deshalb war ich nicht überrascht, als ich das erste Mal eine Morddrohung in meiner Inbox vorfand. So war das halt – Teil des Deals. Wer schreibt, dem wird gedroht. Die Redaktion schickte mich alarmiert zur Polizei und die Polizei schulterzuckend nach Hause. Damals konnten die Beamten mit dem Internet noch viel weniger anfangen als heute.

Ich hingegen fand den Drohbrief ziemlich spannend. Zwei Seiten umfasste er. Auf den ersten eineinhalb Seiten erklärte mir der Verfasser ausführlich, weshalb er, ein »Russlanddeutscher«, deutscher sei als ich, die »Deutschtürkin«. Sein Großvater habe für Deutschland gedient und gekämpft und überhaupt, seine Familie sei schon viel länger hier als meine. Dann folgte eine liebevoll detaillierte Beschreibung, wie er plane, meinem Leben ein Ende zu setzen. Interessant.

Ein halbes Jahr später, ich hatte gerade geheiratet, schrieb ich eine Kolumne über die Liebe, ohne politische oder soziale Botschaft, zumindest war keine intendiert. Sie handelte von der türkischen Tradition, bei der ein Mann, wenn er um die Hand einer Frau anhält, mit seiner Familie zu ihrer geht. Sie serviert allen Kaffee mit Zucker, nur ihm nicht. Er bekommt Kaffee mit Salz. Und während die anderen genüsslich ihren süßen Kaffee schlürfen, beobachten sie vergnügt den künftigen Bräutigam, der den salzigen Kaffee verdrücken muss, ohne eine Miene zu verziehen. Als Liebesbeweis.

Nach dieser Kolumne erhielt ich viele Glückwünsche. Und eine Nachricht vom Autor der Morddrohung. Er habe mir mit seinem ersten Brief eventuell Angst gemacht, begann er seine Nachricht. Ganz eventuell ein kleines bisschen, dachte ich und gestand mir zum ersten Mal ein, wie verrückt es war, eine Morddrohung emotional derart zu normalisieren, wie ich es getan hatte. Dann entschuldigte er sich. Durch meinen Text habe er begriffen, schrieb er, dass auch ich nur ein Mensch sei. Bravo, dachte ich mir. Darauf hätte er auch vorher kommen können.

Was hatte sich verändert? Wie kam es, dass ein Mann, der mir Monate zuvor Gewaltfantasien zuschickte, nun einen *Menschen* in mir erkannte? Es war die Liebesgeschichte: eine Geschichte ohne Gut und Böse, ohne Anklage und Verteidigung, eine *menschliche* Geschichte. Eine, in der ich mich nicht inspizieren ließ, in der ich mich nicht erklärte – die ich so schrieb, wie ich sie einer Freundin erzählen würde. Es war kein Text, in dem ich um das Verständnis der Unbenannten warb. Ich schrieb einfach als eine junge Frau über die Liebe.

Die Geschichte schuf einen anderen Raum, indem sie der Gehassten ein menschliches Gesicht verlieh. So erkannte sich der Hassende im Gesicht der Gehassten. Er sah ein Stück von sich, das er dort nicht erwartet hatte. Dann blickte er durch meine Augen auf sich selbst und erkannte sich als Hassenden.

Es ist die Entmenschlichung der *Anderen*, die es uns ermöglicht, sie zu hassen. Sie wird ermöglicht durch verrohte Sprache, durch einseitige Bilder, aber auch durch eine starke Abstraktion menschlicher Schicksale in Szenarien, Zahlen und Thesen, in denen das Schicksal des Einzelnen verschwindet, unsichtbar wird. So verklärt sich unser Blick füreinander. Wir existieren gemeinsam auf der Welt, aber zugleich in einer Art Trance. Wir schaffen es, Menschen derart zu abstrahieren, dass wir in ihnen keine Menschen mehr erkennen. Wir blicken, aber wir sehen nicht mehr.

Unsere Schulen sind häufig Orte, an denen junge Menschen Pluralität nicht als abstraktes Szenario, sondern als Realität erleben. Sie sind nicht frei von Rassismus, aber sie sind Orte mit Hürden, die sich der Abstraktion in den Weg stellen: das Individuum.

So erzählte mir eine Freundin von ihrer Schulzeit in den 1980er Jahren. Davon, dass der Sohn eines stadtbekannten Nazis in ihrer Schulklasse war. Eines Tages stand er mit seiner Clique am Tor der Schule und teilte die Schüler*innen auf: »Ausländer« nach links und »Deutsche« nach rechts. Als meine Freundin, ein zierliches Schwarzes Mädchen, vor ihm stand, schickte er sie nach rechts, zu den »Deutschen«.

»Warum hast du mich nicht nach links, zu den Ausländern, geschickt?«, fragte sie ihn. »Ach«, sagte er und winkte ab, »dich kenn ich doch.«

Er kann sie nicht abstrahieren. Denn er sieht sie jeden Tag – er kann sie nicht mehr *nicht* sehen.

Manchmal klappt es. Die persönliche Begegnung kann ein Mittel gegen abstrakte, diffuse Ängste sein. *Kontakthypothese*[1] nennt sich dieses Phänomen und besagt, dass der häufige Kontakt mit *den Anderen* – ob nun eine ethnische, religiöse, soziale oder sonst wie *andere* Gruppe – zum Abbau von Vorurteilen führt. Ich habe es selbst oft erlebt, dass es funktioniert: dass persönlicher Kontakt dazu führt, dass ein Mensch es schafft, den Menschen zu sehen.

Ich habe aber auch erlebt, dass diese Hypothese versagt. Ich habe erlebt, wie es ist, zu sprechen und nicht gehört zu werden. Vor einem Menschen zu stehen, in seine Augen zu blicken und *einfach nicht gesehen zu werden.*

Eine einschneidende Erfahrung dieser Art machte ich, als ich auf einer Konferenz einer Person begegnete, von der ich öffentlich immer wieder hasserfüllte Kommentare über Frauen wie mich gelesen hatte. Ich sprach sie an, weil in mir irgendwo die Hoffnung schlummerte, ein persönliches Gespräch könnte zumindest die Gereiztheit der Debatte mindern. Es war nicht meine erste Begegnung dieser Art, und bisher war der Moment, in dem wir uns in die Augen schauten, stets auch der Moment gewesen, in dem der *Mensch* hinter der Abstraktion sichtbar wurde. Ja, wir waren uns in grundsätzlichen Dingen weiterhin uneins. Womöglich konnten wir einander aus den verschiedensten Gründen nicht leiden. Doch wir konnten einander als *Menschen* respektieren. Kritisch, distanziert, aber fair bleiben. Erkennen: Hier steht ein Mensch, so verwundbar, wie ich es auch bin.

Doch diese Person erkannte keinen Menschen in mir. Sie sah mich an, aber sie sah mich nicht. Sie hörte mir zu, aber sie hörte mich nicht, und ich spürte eine Angst und Hilflosigkeit wie nie zuvor. Ich brauchte Tage, um mich von dieser Begegnung zu erholen.

Auch der Mann, der mir die Morddrohung geschickt hatte, konnte dies nur tun, weil er in mir keinen Menschen, sondern die Verkörperung seiner abstrakten Angstszenarien sah. Mein Dasein war Projektionsfläche für seine Ängste. Mein Körper machte das Diffuse greifbar. Ich war ein lebendiges Symbol dessen, was er verabscheute.

Doch plötzlich entschuldigte er sich. Noch heute denke ich über den Moment nach, in dem sich der Schleier vor seinen Augen gehoben haben muss und er nicht nur mich, den Menschen, sondern auch sich, sein eigenes Antlitz, das des Hassenden erkannte.

Es war eine der ersten Lehren, die mir das Leben als Schreibende erteilte. *Sei* Mensch. Schreibe als *Mensch*.

Und doch brauchte es Jahre, bis ich diese Lehre wirklich begriff. Jahre, in denen mich die Debatten und Diskurse, in denen ich mich engagierte, ermüdeten, mir die Lebenskraft nahmen. Jahre, in denen ich Teil eines entmenschlichenden Systems wurde – statt einfach nur Mensch zu sein.

Die Schriftstellerin Chimamanda Ngozi Adichie erzählt in ihrer Rede »The Danger of the Single Story« (Die Gefahr der einzigen Geschichte), was es mit einem gesamten Kontinent machen kann, wenn er auf ein Narrativ reduziert wird. Ihre Geschichte beginnt mit Fide, einem jungen Mann, der bei ihrer Familie im Haushalt arbeitet und für sie als Kind immer nur der »arme Fide« gewesen ist. Als sie ihn und seine Familie in ihrem Dorf besucht, lernt sie ihn gänzlich neu kennen: Er ist nunmehr nicht »der arme Fide«, sondern weitaus mehr, nämlich das Kind einer lebenslustigen, musikalischen Familie. Jahre später, als sie in den USA studiert, erlebt sie die Geschichte des »armen Fide« erneut, nur andersherum. Dieses Mal ist sie es, Chimamanda, die Tochter einer Akademiker*innenfamilie, in der ihre Zimmerkameradin im Wohnheim der Universität lediglich ein bemitleidenswertes Mädchen aus dem »armen« Kontinent Afrika sieht. Weitere Jahre vergehen, inzwischen ist sie Dozentin an einer US-amerikanischen Universität und hat mehrere Bücher publiziert. Einer ihrer Studenten erklärt ihr, dass er es sehr bedauerlich findet, dass afrikanische Väter so gewalttätig seien, und verweist auf eine Romanfigur in einem ihrer Bücher. Sie antwortet, seufzend, dass auch sie kürzlich ein Buch gelesen habe namens *American Psycho*. Und dass es so traurig sei, dass junge Amerikaner massenhaft zu Serienmördern würden.

Aus einem Roman wie *American Psycho*, aus Horrorfilmen oder Psychothrillern würden wir niemals Rückschlüsse auf die gesamte US-amerikanische Gesellschaft ziehen. Denn unsere Wahrnehmung dieser Gesellschaft ist facettenreich: Wir wissen dank US-amerikanischer Filme, Serien, Musik und Literatur, wie es ist, dort geboren zu werden, zu leben, zu sterben. Wir haben eine reiche, vieldimensionale Wahrnehmung dieser Kultur und Gesellschaft – wir kennen nicht nur *eine* Geschichte über sie, sondern *viele.*

»Das Problem mit Klischees ist nicht, dass sie unwahr sind, sondern dass sie unvollständig sind. Sie machen eine Geschichte zur einzigen Geschichte«, erklärt Adichie. Wenn eine einzige Geschichte die Wahrnehmung einer ganzen Gruppe von Menschen dominiert, dann existieren diese Menschen nicht mehr als Individuen. Die Definition von Menschen anhand einer Kategorie ist nicht zwangsläufig falsch, sondern unvollständig. Eine Wahrheit wird zur *einzigen* Wahrheit.[2]

Die Gefahr der singulären Geschichte lässt sich am einfachsten demonstrieren, wenn wir die Vorzeichen umkehren und Benennende zu Benannten machen:

Weiße alte Männer sind Sexisten. Als Regisseure, Politiker, Ärzte, Beamte, Professoren und Lehrer nutzen sie ihre Machtposition gegenüber ihren Opfern aus.

Weiße Männer sind pädophil. Sie entführen Kinder und sperren sie in Kellern ein. Selbst als Geistliche missbrauchen sie Jungen.

Weiße Altenpfleger sind geldgierig. Sie töten alte Frauen mit dem Kissen, um an ihr Erbe zu kommen.

Weiße Polizisten sind rechtsextrem.

Weiße Politikerinnen und Politiker lügen. Sie erschwindeln sich Doktortitel.

Reiche Weiße liegen dem Staat auf der Tasche. Über Steuerschlupflöcher bestehlen sie den Staat.

Weiße Menschen sind rassistisch. Sie teilen Menschen in konstruierte Rassen auf, um sie anschließend entsprechend ihrer Erfindung zu beurteilen. Sie kolonisieren ganze Kontinente, versklaven und verschleppen Menschen, rauben ihnen Land und Bodenschätze. Und wenn sich Betroffene gegen den Rassismus wehren, beschuldigen sie diese, sie würden die Gesellschaft spalten.

> *Wenn ein Mensch einem anderen erklärt,*
> *was »real« ist, verlangt er in Wirklichkeit dessen*
> *Unterordnung.*
>
> Humberto Maturana

Fragen Sie sich einmal: Welche Wahrheiten über marginalisierte Minderheiten sind in Deutschland im Umlauf? Wie facettenreich sind unsere Darstellungen von Schwarzen Söhnen, migrantischen Vätern und muslimischen Großmüttern?

Wie kann es gelingen, einen Menschen im Menschen zu sehen, wenn er medial stets über *eine* Geschichte – eine entmenschlichende, stark verzerrte, stereotypisierende, negative Geschichte – zu unserer Wahrnehmung gelangt?

Und so wachsen die einen hinein in die enge Hülle ihrer Stereotype, drohen in ihnen zu ersticken, andere weigern sich und wandern als Geister durch eine Gesellschaft, die sich vor ihnen erschreckt. Wer nicht spricht, für sich selbst, als Mensch, der existiert nicht. Einzig sein Klischee lebt.

Im Rahmen einer Recherche traf ich Kader Abla, eine türkeistämmige Frau mittleren Alters.[3] Eine kluge Frau, die von einer Begebenheit erzählte, die mich bis heute beschäftigt:

Kader Abla spricht kein Deutsch. Sie spricht viele andere Sprachen, aber kein Deutsch. Sie ist klug und belesen, aber nicht im Sinne der anderen. Sie ist selbstbewusst, und das irritiert die anderen, die sie für ungebildet halten. Es passt nicht. Wenn die anderen sie sehen, sehen sie das Kopftuch und fragen sich, woher sie ihr Selbstbewusstsein nimmt.

Der Arzt betritt das Krankenzimmer ihres herzkranken Pflegesohnes. Er schaut sich um und spricht dann mit anderen im Zimmer Anwesenden über ihren Pflegesohn. Nicht mit ihr, der Pflegemutter. Kader ringt mit sich. Es brodelt in ihr. Sie greift nach Sätzen, die ihr aus den Händen gleiten. Sie ringt um Worte, die ihr nicht vertraut sind. Ihre Gefühle passen nicht zu ihnen.

Stille.

Dann, langsam, lehnt sie sich vor, blickt dem Arzt ins Gesicht. Und sagt:

»Ich bin unsichtbar.«

Der Arzt ist beschämt, entblößt.

In dem Moment, als sie »Ich« sagt, wurde sie sichtbar.

Sie wurde sie selbst.

Kader Ablas Erlebnis hat mir die Macht des Sprechens neu erschlossen. Indem sie sprach, wurde sie von einer schemenhaften Figur zu einer Person. Sie zwang ihr Gegenüber, sie wahrzunehmen. Solange sie schwieg, war sie ein Körper ohne Geschichte. Ein Ausstellungsobjekt.

Der afroamerikanische Schriftsteller James Baldwin besuchte im Jahr 1951 ein kleines Dorf in den Schweizer Alpen und beschrieb, wie die Menschen auf ihn, den ersten Schwarzen Mann, den sie sahen, reagierten. Weil, wie er schreibt, Schwarze Menschen in den USA dazu erzogen wurden, sich *beliebt* zu machen, lächelte er. Doch das Lächeln wirkte nicht:

Man kann schließlich für niemanden Sympathien entwickeln, dessen menschliches Dasein und Sosein nicht anerkannt werden kann oder nicht anerkannt worden ist.

Mein Lächeln war einfach ein neues, noch nie dagewesenes Phänomen, die anderen meine Zähne sehen zu lassen – mein Lächeln sahen sie gar nicht, und ich begann zu glauben, daß niemand einen Unterschied bemerken würde, wenn ich, statt zu lächeln, zu knurren anfinge.[4]

Ihr Unvermögen, einen Menschen in ihm zu erkennen, versperrte den Bewohner*innen des Dorfes den Blick für die universelle Sprache des Lächelns. Die Lehrerin und Bildungsaktivistin Gloria Boateng berichtet von einer Begebenheit an einer Hamburger Universität, wo sie als Fremdsprachenkorrespondentin arbeitete. Eines Tages kam sie früher als üblich ins Büro und wurde von einem jungen Kollegen, der auf dem gleichen Flur arbeitete, mit den Worten »Sie sind heute aber spät hier!« begrüßt.

Er hatte sie mit der Schwarzen Reinigungskraft verwechselt, der er monatelang jeden Morgen begegnet war, die er aber währenddessen offensichtlich nie als Individuum wahrgenommen hatte – und von der er nun seine Uni-Kollegin nicht unterscheiden konnte. Wie aber soll ein Mensch darauf reagieren? Wie soll er reagieren, wenn es nicht einmal, sondern immer und immer wieder passiert, weil die Entmenschlichung systematisch ist und einen Namen hat: Rassismus. Boateng beendete das Gespräch damals mit diesen Worten: »Ach, kein Problem, ich bin ein Multitalent. Ich reinige Ihnen auch nebenbei Ihr Büro. Ein Anruf genügt. Ich weiß nur nicht, ob Sie sich meinen Stundensatz leisten können.«[5]

Why do I write?
'Cause I have to.
'Cause my voice,
in all its dialects.

has been silent too long

Jacob Sam-La Rose

Dies, so schreibt die Künstlerin und Wissenschaftlerin Grada Kilomba, sei ihr Lieblingsgedicht. Es visualisiere für sie, dass Schreiben ein Prozess des Werdens sei: »Indem ich schreibe, werde ich zur Erzählerin, zur Beschreibenden, zur Verfasserin meiner eigenen Geschichte. Ich mache mich zum absoluten Gegensatz von dem, zu dem das koloniale Projekt mich bestimmt hat. Ich bin die Autorin und Autorität meiner eigenen Realität.«[6]

Doch wie gelingt es einem Menschen, so zu sprechen, dass er *tatsächlich* spricht? So zu schreiben, dass er *wird*? Wie kann er in einer Sprache existieren, in der er als Sprechender nicht vorgesehen war? Die nicht für ihn gedacht und gemacht ist? Wie spricht er, ohne sich einer Inspektion unterziehen zu lassen? Wie spricht er, ohne sich selbst aus der Perspektive anderer zu beschreiben?

An einem kühlen und regnerischen Nachmittag saß ich im Büro des Chefredakteurs einer großen deutschen Zeitung. Wir redeten über eine mögliche politische Kolumne. »Worüber darf ich schreiben?«, fragte ich. »Über alles«, antwortete er. »Alles?«, fragte ich nach. »Alles«, wiederholte er, und ich begann, die Grenzen dieses »alles« auszutesten. »Auch über Wirtschaftspolitik?« – »Ja.« – »Und Liebe?« – »Ja.« – »Über Kunst? Und Sport?« Er unterbrach mich und sagte: »Ja, Kübra, über alles.«

Ich saß in dem Büro und erstarrte. Ich war überfordert. »Ich fühle mich wie ein Vogel, der jahrelang im Käfig gelebt hat«, sagte ich ihm nach einer langen Pause. »Jetzt aber, wo die Tür offen ist, merke ich: Ich habe verlernt zu fliegen.«

Wie geht das, *frei sprechen*, als Mensch, als Individuum? Ich wusste es nicht. Also schwieg ich zunächst.

Das Schweigen wurde ein Ausbruch aus dem Gefängnis der einzelnen Sprachen, in denen ich mich bewegte. Ich wollte mich außerhalb von ihnen wahrnehmen. Mich erfahren, ergründen, in wechselnden Sprachen und Perspektiven, die sich mir anbieten würden. Ich wollte Spiritualität erleben, ohne mich zu erklären. Ich wollte *ich* sein dürfen.

So versuchte ich wieder zur Sprache zu finden. Mit meiner eigenen Wahrnehmung. Worte für diese Erfahrung zu finden. Raum für neue Wahrnehmungen zu schaffen. Nicht, um sie anderen zu erklären, sondern um dem Bedürfnis nach Ausdruck zu folgen, für mich selbst. Nicht, um verstanden zu werden, sondern um zu existieren.

Der Versuch, eine neue Sprache zu finden, kann den Menschen überwältigen. Weil Neues Angst machen, Unbekanntes überfordern kann. Doch ich erlebte auch, wie eine neue Sprache ganz plötzlich möglich wird. Durch neue Räume, in denen sie sich entwickeln kann. An Abenden wie jenem, als mich drei muslimische Freundinnen – eine Unternehmerin, eine Dichterin und eine Juristin – besuchten und wir intensiv über unseren Glauben und unsere Spiritualität diskutierten. Wir sprachen mit einer Vertraulichkeit, die selten ist, wenn es irgendwo um die Themen Islam und Kopftuch geht. Unser Glauben bildete die Basis, auf der wir auch unsere Differenz ausdrücken konnten, die Erfahrungen mit der Außenwelt verbanden uns, unser Alter, das Frausein, der Gestaltungswille, das Engagement in dieser Gesellschaft. Keine von uns musste sich inspirieren lassen. Es war ein respektvolles Gespräch.

Am Ende des Abends, kurz vor dem Abschied an der Tür, schlug ich vor, unsere Unterhaltung vor einem digitalen Publikum zu führen. So setzten wir uns wieder in mein Wohnzimmer, schalteten die Live-Funktion auf Instagram an und redeten weiter. Mit jeder Minute erhöhte sich die Zuschauerzahl, bis um ein Uhr morgens über 600 Menschen zuhörten und mit uns diskutierten.

Keine von uns sprach als *die* Muslimin, *die* Kopftuchtragende oder *der* Mensch mit Migrationshintergrund. Die Dichterin sprach darüber, wie sie durch ihre Gedichte ihrem Glauben Ausdruck verleiht, sich selbst und andere ermächtigt, die Unternehmerin sprach über das Einschlagen neuer beruflicher Wege. Die Zuschauer*innen stellten Fragen, dachten mit uns, teilten ihre Erfahrungen. Es war mehr als die Ausgrenzung, die uns als Musliminnen, als Menschen mit Migrationshintergrund, als marginalisierte Minderheiten verband; es war unser Erleben, das Leben von unseren Interessen, unseren Passionen, unseren Träumen.

Und das war sie, die neue Sprache, von der ich seit Jahren träumte. Das Sprechen mit Menschen, die mich nicht dazu drängen, mich verständlich zu machen, die meine Erzählungen und Gedanken durch ihre Perspektiven ergänzen. Das Sprechen mit Menschen, denen ich keine Zugehörigkeit beweisen muss.

Freies Sprechen setzt voraus, dass die eigene Existenz, die eigene Menschlichkeit und Existenzberechtigung nicht zur Disposition steht, dass nichts zu verteidigen oder zu beweisen ist. Freies Sprechen heißt auch, so zu sprechen, als sei die eigene Perspektive jeder Zuhörer*in zugänglich. Oder, in den Worten des vietnamesisch-amerikanischen Autors Viet Thanh Nguyen:

> Schreibende einer Minderheit, schreibt so, als wärt ihr
> die Mehrheit. Erklärt euch nicht. Richtet euch nicht an
> jemanden. Übersetzt nicht. Entschuldigt euch nicht. Geht
> davon aus, dass alle wissen, worüber ihr sprecht, so wie
> die Mehrheit es tut. Schreibt mit all den Privilegien der
> Mehrheit, aber mit der Demut einer Minderheit. Warum

mit der Demut einer Minderheit? Weil gedemütigte
Menschen oft nicht lernen, was Demut ist. Deshalb miss-
brauchen Machtlose, die Macht erlangen, häufig ihre
Macht. Werdet nicht einfach wie die Mehrheit. Seid besser.
Klüger. Bescheiden. Aber doch selbstbewusst.[7]

Freies Sprechen bedeutet die Emanzipation von einer Sprache,
die uns nicht vorsieht – indem wir sie verändern, anstatt uns zu
erklären, indem wir sie anders nutzen, um in ihr zu *sein*.

»Alman«, »Kanakademic«[8] oder »kritisches Kartoffeltum«[9].
Diese und andere Begriffe werden von den Gästen und der
Moderatorin der Sendung *Karakaya Talk*[10] verwendet, die seit
2018 die deutsche digitale Fernsehlandschaft bereichert. Manchmal mit einem Augenzwinkern, meist aber selbstverständlich
und ernst. Es sind Wörter, die bestimmte Perspektiven auf die
Welt in sich tragen, Perspektiven marginalisierter Gruppen,
die sonst nur als Objekt der Betrachtung auftauchen. So sticht
die Sendung nicht nur deshalb heraus, weil dort andere Stimmen
eine Plattform finden – sondern insbesondere deshalb, weil sie
dort sprechen, ohne darum bemüht zu sein, die eigene Existenz
zu erklären und verständlich zu machen. Allein diese Haltung
ist ein emanzipativer Akt. Das schafft Esra Karakaya, die Ideen-
geberin, Produzentin und Moderatorin der Sendung, indem sie
sich auf ihre Gesprächspartner*innen einlässt, auf Augenhöhe
mit ihnen redet, ihren Gedanken, ihrer Persönlichkeit und ihrer
Verletzlichkeit Raum gibt.

In ihrer ersten Sendung thematisierte sie die kontrovers diskutierte Werbung eines großen Süßwaren-Herstellers, bei der
ein kopftuchtragendes Model zu sehen war, und lud dazu nicht
etwa *einen* kopftuchtragenden Gast ein, nicht zwei, nicht drei –
sondern *ausschließlich* Frauen, die eine Form von hijab trugen.

Nicht nur, aber auch deshalb stand keiner ihrer Gäste unter dem Druck, *die* kopftuchtragende Frau repräsentieren zu müssen. Stattdessen traten alle als Individuen mit Expertise und Wissen auf.

Als ich Karakaya danach fragte, welche Bedeutung für sie die Sendung als Raum für alternative Formen des Sprechens und der Sprache habe, antwortete sie:

Was mir zuerst einfällt, ist Ehrlichkeit. Ich will in einem Raum natürlich existieren, wie ich bin. Ich spreche so! Ich weiß, hier ist keiner über mir, ich bin von niemandem abhängig, wir setzen den Rahmen, wir setzen die Regeln und wir setzen den Rahmen so, dass wir uns wohlfühlen und ich mich wohlfühle. Ich will mich wohlfühlen, wenn ich Umgangssprache benutze, wenn ich Kanak spreche. Das hat mit Freiheit zu tun. Es ist ein geiles Gefühl, wenn ich da sitze und merke, die Leute reden auf eine ganz bestimmte Art und Weise, und ich weiß, wenn du bei Maischberger sitzen würdest, könntest du niemals so reden, da würde man dich rasieren, medial auseinandernehmen, dir irgendwas absprechen, man würde es instrumentalisieren, um dich wieder noch kleiner zu machen. Einfach zu wissen, dass wir machen können, was wir wollen, dass wir reden können, wie wir wollen, das ist schon nice. Das hat was mit Heilung zu tun! Freiheit und Heilung.

Als ich 2016 den Film *Moonlight* sah, der vom Leben eines Schwarzen, homosexuellen Mannes in den USA handelt, verstand ich viele Szenen nicht. Mir fehlten Wissen, Referenzen und Kontext – ich bin weder Schwarz noch homosexuell noch ein Mann, und ich lebe nicht in den USA. Doch mir imponierte dieser Film – weil er mir demonstrierte, was ich nicht wusste. Weil er mir meine eigene Begrenztheit vermittelte, indem er voraussetzungsreich erzählte – mir also zumutete, dass ich bestimmte Dinge nicht verstehe.

Das fiel mir aber nur deshalb auf, weil ich es sonst gewohnt war, die Codes in US-amerikanischen Filmen zu verstehen. Ich konnte mich mit Leichtigkeit in das Leben eines weißen Mannes in den USA hineinversetzen, inklusive aller kulturellen Referenzen. Wie kommt es dazu? (Und warum gibt es in diesem Buch so viele Bezüge zu US-amerikanischen Büchern und Filmen, zur Politik und Gesellschaft der USA?) Klar: Weil uns allen die Welt millionenfach aus der Perspektive weißer, US-amerikanischer Männer vorgeführt wurde – wir sind daran gewöhnt, durch seine Augen auf Frauen, auf Kinder, auf die Natur, auf Nicht-Weiße, auf andere Länder, Kontinente und am Ende auf uns selbst zu blicken. So wie sich Menschen vom Land daran gewöhnen, durch die Augen von Stadtbewohnern auf die Welt zu blicken; Ostdeutsche durch die Augen von Westdeutschen; Frauen durch die Augen von Männern; arme Menschen durch die Augen von Wohlhabenden und so fort.

Wie aber würde sich unsere Wahrnehmung dieser Gesellschaft verändern, wenn wir sie ausschließlich mit dem Blick eines von Armut bedrohten Menschen betrachten und beschreiben würden? Wie würden sich unsere Geschichten über uns selbst verändern und infolgedessen unsere Gesellschaft selbst?

Nun gut, dann erzählen wir zur Abwechslung mal eine Geschichte aus der Perspektive anderer, könnte nun jemand vorschlagen. Doch es ist die beständige Vielzahl der Perspektiven, die den Unterschied ausmacht. *Eine* neue Erzählung – die *Ausnahme* – reicht nicht aus. Wir brauchen zahlreiche Betrachtungen dieser Welt aus ganz unterschiedlichen Perspektiven, die gleichberechtigt nebeneinanderstehen.

In der TV-Serie *Derry Girls*, die von einer Gruppe nordirischer Schülerinnen während des Nordirlandkonflikts in den neunziger Jahren handelt, gibt es eine Szene, in der die jungen Frauen gemeinsam beschließen, gegen die Schuluniformpflicht zu rebellieren. Sie wollen fortan zur Schule ihre eigenen Jacken tragen, um endlich »Individuen« zu sein. Am nächsten Morgen auf dem Schulweg dann die Erkenntnis: Nur eine, Clare, konnte sich zu Hause durchsetzen. Entrüstet fragt sie ihre Freundinnen:

»Ich dachte, wir wollen dieses Jahr Individuen sein?«

»Ich wollte ja, Clare, aber meine Mutter hat es mir nicht erlaubt.«

»Nee, *alleine* will ich auch kein Individuum sein«, sagt Clare und zieht ihre Jacke aus.

Es braucht Millionen, die frei sprechen.

Ich habe keine abschließenden Antworten auf die Fragen, die ich in diesem Buch stelle, doch ich weiß, dass diese Vorstellung eines freien Sprechens einer Antwort nahekommt. Wenn wir – die Ausgestellten im Museum der Sprache – aufhören zu sprechen, um uns begreiflich zu machen, sondern sprechen, um zu sein. Ob wir nun verstanden werden können oder nicht: Wenn wir nicht mehr mit den Augen der anderen auf uns selbst blicken, dann sind wir frei.

*Männer sind ihr eigener Referenzpunkt und setzen
ihre Vorherrschaft voraus, die sie dann einsetzen,
um der Gesellschaft ihre Bedeutungen einzuschreiben
und sie jenen aufzuzwingen, die sie nicht teilen, so
dass sie ihre Vorherrschaft auf Kosten der Frauen
verwirklichen. Dieser Prozess – die Doppelmoral –
stellt sicher, dass Männer, egal was sie tun, als besser
wahrgenommen werden als Frauen.*

Dale Spender

Ein Einwand wird unweigerlich kommen: Wenn nun aber jede Person aus ihrer Perspektive spricht und all die Geschichten voraussetzungsreich sind, nicht von allen unmittelbar verstanden werden können – wie sollen Menschen einander überhaupt verstehen? Der Einwand wird vonseiten derjenigen kommen, die es nie gewohnt waren, andere *nicht* zu »verstehen« – weil es ihre Perspektive war, aus der die Welt betrachtet wurde. Für alle anderen war die Welt schon immer komplex. Sie sprachen schon immer mehrere Sprachen, sie hörten schon immer Geschichten, in denen niemand vorkam, der ihnen ähnelte. Sie *können* es. In einer Welt leben, in der sich ihnen nicht alles erklärt. In der nicht alles auf ihren Blick genormt ist. Eine Welt, in der ihnen bewusst wird, dass ihre Perspektive auch nur eine von sehr vielen ist.

Wenn eine weiße Freundin ein türkisches Familienfest in Deutschland besucht, eine nigerianische Hochzeit, einen afghanischen Henna-Abend oder eine andere Feier oder Veranstaltung, bei der eine weiße Person hervorsticht, dann bemühen sich die anderen Menschen um sie. Erklären ihr die ungeschriebenen Regeln, führen sie ein, stellen sicher, dass sie sich wohlfühlt und Fettnäpfchen ausweichen kann. Das ist nicht einfach nur Gastfreundlichkeit – dahinter steht auch ein Bewusstsein für Differenz und die Begrenztheit individueller Perspektiven, ein Wissen um unterschiedliche Lebenswelten. Dahinter steht aber auch die Gewohnheit gewordene Erfahrung, sich selbst erklären, die eigene Lebenswelt übersetzen und der Perspektive der Dominanzgesellschaft anpassen zu müssen. Manchmal verschiebt sich bei einem solchen Zusammentreffen die gesamte Aufmerksamkeit auf die eine weiße Person und ihr Wohlbefinden. Manche verhalten sich aufgrund ihrer Anwesenheit anders. Denn sie werden nun »beobachtet«. Also womöglich auch bewertet. Beurteilt. Die weiße Freundin wird zur Zuschauerin, die nun nicht die Gelegenheit bekommt, die Herausforderung zu spüren, die darin liegt, mit der eigenen Perspektive in der Minderheit zu sein und sich der eigenen Begrenztheit bewusst zu werden. In der umgekehrten Situation, wenn ich die einzige sichtbare Nicht-Weiße bin, wird nahezu immer vorausgesetzt, dass ich irgendwie klarkomme, die Regeln schnell genug erkenne, bevor ich in ein Fettnäpfchen trete. Und ich komme damit klar. Weil ich ein Bewusstsein für die Grenzen meines Wissens und meiner Wahrnehmung besitze. Wir Anderen erlernen diese Fähigkeit. Sie ist ein Geschenk.

In ihrem Essay »How Can White Americans Be Free?« zeigt die Filmemacherin und Autorin Kartina Richardson, dass die Tatsache der weißen Standardnorm auch Weiße ihrer individuellen Geschichte beraubt. Sie fragt: »Wie können weiße Menschen sich gestatten zu leiden, ohne den Anschein zu erwecken, sie würden die gewaltsamen Ungerechtigkeiten dieses Landes und die enorme Last, die dem Schwarzen und Braunen Selbstverständnis durch den Mythos des Weißseins aufgebürdet wurde, vergessen?«[11] Wie kann ein vergleichsweise privilegierter Mensch sein individuelles Leid ausdrücken, ohne dass sein Leiden von all jenen, auf deren Unterdrückung sein Privileg beruht, für irrelevant erklärt wird? Richardson ist sich bewusst, wie absurd es klingen mag, sich darüber zu sorgen, dass das Leid der Privilegierten nicht ernst genommen werden könnte. Doch ihre

Frage ist wichtig, um zu zeigen, auf welche Weise der Standard auch jene einsperrt, die von ihm profitieren.

»Ihr seid die Zukunft, ihr habt tatsächlich etwas von Bestand und Relevanz zu erzählen«, sagte an einem Abend nach einer Lesung eine weiße Autorin in einer Runde von Schriftsteller*innen of Color. Sie sagte es nicht neidvoll, sondern ernst und hoffnungsvoll.[12] Und tatsächlich erinnerte ich mich daran, bei einer anderen Lesung etwas ganz Ähnliches gedacht zu haben. Eine preisgekrönte deutsche Autorin las aus ihrem jüngsten Text, der raffiniert erzählt war, es ging, glaube ich, um Zahlen und Tiere. Einige Minuten lang war ich gefesselt, dann langweilte ich mich – mir fehlte die Dringlichkeit. Nach ihr las der palästinensisch-syrische Dichter Ghayath Almadhoun, der vor dem Krieg in Syrien geflohen war und nun in Stockholm lebte. Jeder seiner Sätze, obwohl sie für die meisten im Publikum nur durch die Übersetzung verständlich waren, hatte eine ungeheure Wucht, seine Bilder blieben im Kopf: »Warum ertrinken die Flüchtlinge, und warum treiben sie auf der Wasseroberfläche, nachdem sie ihren letzten Atemzug getan haben? Warum passiert nicht das Gegenteil? Warum treibt der Mensch nicht auf der Wasseroberfläche, wenn er lebt, und geht unter, wenn er tot ist?«, fragt er in einem seiner Gedichte.[13]

Verliert ihre Kunst angesichts seiner Kunst an Relevanz? In einer Welt, in der ihre Perspektive anerkannt ist und seine marginalisiert: ja. Aber eine andere Welt, in der beide als verschiedene Perspektiven gleichberechtigt koexistieren können, ist möglich. Eine Welt, in der er die Freiheit hätte, über Banalitäten zu sinnieren, und in der es nicht ignorant erschiene, wenn sie ihren Schmerz beschriebe.

Doch noch leben wir nicht in einer solchen Welt. Noch leben wir nicht in Strukturen, in denen die Menschlichkeit aller Menschen tatsächlich Anerkennung findet, in denen die Perspektive der einen nicht zur Bedrohung für die der anderen wird. Erst wenn wir uns von unserem Absolutheitsanspruch verabschieden; erst wenn keine Perspektive über andere Perspektiven herrscht, diese strukturell unterordnet und unterdrückt; erst dann können alle Menschen unabhängig von Herkunft, Ethnie, Körper, Religion, Sexualität, Geschlecht, Nationalität *frei* sprechen. Erst dann werden wir alle *sein*.

EIN NEUES SPRECHEN

Alice: »Würdest du mir bitte sagen,
wie ich von hier aus weitergehen soll?«
»Das hängt zum großen Teil davon ab,
wohin du möchtest«, sagte die Katze.

Lewis Carroll

Ich habe drei Fragen an Sie. Möchten Sie auch in Zukunft in einer pluralen Gesellschaft leben? Wenn ja: Möchten Sie dies gleichberechtigt und auf Augenhöhe mit Ihren Mitmenschen tun? Und was bedeutet es konkret, gleichberechtigt und auf Augenhöhe in einer pluralen Gesellschaft zusammenzuleben?

Was bedeutet es, mit all jenen am Tisch zu sitzen, die bislang nicht an diesem Tisch sitzen durften?

Diese Metapher des Tisches überträgt der Soziologe Aladin El-Mafaalani auf gegenwärtige gesellschaftspolitische Konflikte. Wir sprechen mehr über Sexismus, als wir es in den sechziger Jahren taten – nicht, weil es heute schlimmer wäre als damals, sondern weil mit dem gesellschaftlichen, politischen und wirtschaftlichen Aufstieg von Frauen und ihren Errungenschaften auch ihre Ansprüche gestiegen sind. Sie wollen *wirklich* gerecht behandelt werden. Gerecht bezahlt werden. Sich, ihren Körper, ihre Arbeit und ihren Intellekt respektiert sehen. Oder nehmen wir das Thema Einwanderung: Die erste Generation der Einwanderer, so El-Mafaalani, saß nicht am Tisch, sondern auf dem Boden oder am Katzentisch. Die zweite Generation, also deren Kinder, teilweise in Deutschland geboren oder sozialisiert, forderte nach und nach ihren Platz am Tisch und ihren Anteil an dem, was aufgetragen wird, ein. Die dritte Generation wiederum möchte wie alle anderen Tischgenossen mit entscheiden, *was* auf den Tisch kommt, und sie hinterfragt die Tischregeln.

Die Anforderungen und Ansprüche dieser Generation an die Gesellschaft seien also gestiegen – und damit auch das Konfliktpotenzial.[1] Eine Frau mit Kopftuch, die an einer Schule putzt, führe zu keiner Grundsatz-Debatte. Eine Frau mit Kopftuch, die an einer Schule unterrichten möchte, werde hingegen als ein Problem empfunden.[2] Das Paradoxe ist laut El-Mafaalani, dass »gelungene Integration (…) das Konfliktpotenzial (erhöht), weil Inklusion, Gleichberechtigung oder eine Verbesserung der Teilhabechancen nicht zu einer Homogenisierung der Lebensweisen, sondern zu einer Heterogenisierung, nicht zu mehr Harmonie und Konsens in der Gesellschaft, sondern zu mehr Dissonanz und Neuaushandlungen führt.«[3] Die gemeinsame Sprache verändere sich durch Teilhabe.[4]

Dreist, könnte jemand sagen, der in den Hinzugekommenen Menschen sieht, die sich nicht mit dem begnügen, was ihnen vorgesetzt wird. *Sollen sie doch froh sein, überhaupt mit am Tisch sitzen zu dürfen! Wenn es dir hier nicht gefällt, dann geh doch dorthin zurück, wo du herkommst!*[5] Wer so etwas sagt, offenbart eine rassistische Grundhaltung, die den Idealen unseres Grundgesetzes widerspricht. Zugehörigkeit ist demnach an Bedingungen geknüpft, die nicht für alle gelten. *Benimm dich, wenn du die gleichen Rechte haben willst.*

Aber warum? Warum soll sich eine Frau still und dankbar damit begnügen, dass sie einen Führungsjob bekommen hat – anstatt wie Männer in der gleichen Position an den Strukturen des Unternehmens zu arbeiten und sie zu verändern? Warum soll sich ein junger Schwarzer Mann still und dankbar damit begnügen, hier existieren zu dürfen – anstatt wie junge weiße Männer politische Forderungen zu stellen, die Gesellschaft zu kritisieren, strukturelle Veränderungen anzuregen?

Pluralismus bedeutet auch, Minderheiten und marginalisierte Gruppen mitsamt ihrer Potenziale und ihrer Probleme anzuerkennen. Nicht, um diese zu ignorieren oder zu romantisieren, sondern um sie *gemeinsam* zu lösen. Weil sie nicht *ihre*, nicht *fremde*, nicht *externe* Probleme sind, sondern *unsere* Probleme. Der gut verdienende ghanaischstämmige Arzt gehört genauso dazu wie die italienischstämmige Alkoholikerin. Die Lehrkräfte genauso wie die Arbeitslosen, die Architekten genauso wie die Drogenabhängigen, die Wissenschaftler*innen genauso wie die Kriminellen, die Dichter*innen genauso wie die Gewalttätigen und die Radikalen. Nicht weil wir Arbeitslosigkeit, Drogenabhängigkeit, Kriminalität oder Extremismus gutheißen, sondern aufgrund der Tatsache, dass die Probleme, die in der Mitte unserer Gesellschaft existieren, uns alle in die Verantwortung nehmen. Unser *aller* Kinder sind davon potenziell betroffen. Es hilft nicht, den Kampf gegen islamistischen Extremismus als *alleinige* Verantwortung jener zu sehen, die zufällig den gleichen Glauben haben; es hilft nicht, den Kampf gegen Rechtsextremismus als alleinige Verantwortung jener zu sehen, die zufällig aus den gleichen Bundesländern kommen. Selbstverständlich spielen die jeweils spezifischen Umstände eine elementare Rolle. Doch diese *Anderen*, sie sind weder *allein* für das Problem verantwortlich, noch können sie es alleine lösen. Ja, sie sind in der Verantwortung. Und ja, die Gesamtgesellschaft ist es auch. Es geht nur gemeinsam.

»Entweder wir praktizieren die Demokratie, die wir predigen, oder wir halten den Mund«, sagte der afroamerikanische Bürgerrechtler Adam Clayton Powell jr. 1964.[6] Wenn wir wirklich gleichberechtigt und auf Augenhöhe in einer pluralen Gesellschaft zusammenleben möchten, so dürfen wir keine bloße *Illusion* von Gleichberechtigung und Pluralität verkaufen.

Ob es sich um eine Illusion handelt, können wir mit dieser Frage austesten: Wer ist gemeint, wenn von »unseren« Kindern die Rede ist? Wird in der Politik, in den Medien, in Bildungs-institutionen – also dort, wo über unsere Zukunft verhandelt wird – von bestimmten Kindern so gesprochen, als wären sie nicht »unsere«? Als wären sie die Kinder der »Anderen«? Wenn ja, dann verkaufen wir eine faule Illusion. Erst wenn mit »un-sere Kinder« *alle* Kinder gemeint sind, kommen wir unserem Anspruch näher.

Dieser Konflikt zwischen Anspruch und Wirklichkeit führt zu der Gereiztheit, die wir im gegenwärtigen Diskurs um Migra-tion, Flucht und Integration beobachten. Wir wollen uns nicht mehr mit Illusionen begnügen. Die Sozialwissenschaftlerin Naika Foroutan schreibt, dass wir »am eigenen Anspruch einer welt-offenen, aufgeklärten Demokratie (…) scheitern«. Und weiter:

> Der Kernkonflikt in postmigrantischen Gesellschaften dreht sich nur an der Oberfläche um Migration – tatsächlich ist der Konflikt jedoch angetrieben von der *Aushandlung und Anerkennung von Gleichheit als zentralem Versprechen der modernen Demokratien*, die sich auf Pluralität und Parität als Grundsatz berufen.[7]

Es geht bei den meisten Konflikten unserer Zeit also eigentlich um die Umsetzung unserer Ideale. Jener Ideale, die von den Vätern und Müttern des Grundgesetzes formuliert wurden. *Alle Menschen sind vor dem Gesetz gleich. Männer und Frauen sind gleichberechtigt.* Und: *Niemand darf wegen seines Geschlechtes, seiner Abstammung, seiner Rasse, seiner Sprache, seiner Heimat und Herkunft, seines Glaubens, seiner religiösen oder politischen Anschauungen benachteiligt oder bevorzugt werden. Niemand darf wegen seiner Behinderung benachteiligt werden.*

Und trotzdem passiert genau das. Wir erleben jeden Tag, wie weit unsere Realität von unseren Idealen entfernt ist. Was lehrt uns das? Erstens: Es ist gut, dass wir unzufrieden sind. Es ist gut, dass wir die Diskrepanz erkennen und sehen können, was für ein langer Weg uns noch bevorsteht. Und zweitens: Wenn wir es ernst meinen mit der Gleichberechtigung, dem friedlichen, respektvollen Miteinander, der Nachhaltigkeit, der Gerechtigkeit, dann braucht es mehr als nur hier und da kleine Änderungen – es braucht einen *tatsächlichen* Kulturwandel.

Wie aber sieht so ein Kulturwandel aus? Stellen Sie sich ein Unternehmen vor, das sich als »inklusiv« rühmt und genau *eine* Frau mit Behinderung einstellt. Sie ist mobil, fährt Rollstuhl, doch im Unternehmensgebäude existieren keine Rampen und die Team-Ausflüge finden stets an Orten statt, die für sie nicht zugänglich sind. Solange kein wirklicher Kulturwandel stattfindet, bleiben Personen, die hier und da in Spitzenposten oder an repräsentativer Stelle eingestellt – oder *aus*gestellt – werden, weil sie irgendwie »anders« sind, Feigenblätter für eine vermeintlich inklusive Gesellschaft. Denn die Teilhabe an Positionen in der gesellschaftlichen Mitte für alle ist nicht das Ende des Kulturwandels, sondern erst der Anfang. Sie ist der allererste Schritt. Die Voraussetzung.

Es ist wie in einer Partnerschaft. Wenn Sie mit einem neuen Menschen eine Partnerschaft eingehen, dann ist Ihre emotionale Offenheit nicht das Ziel, sondern lediglich die Voraussetzung, um den anderen Menschen – und sich selbst – besser kennenzulernen. Mit allem, was dazugehört: den Schwächen und Stärken, den Eigenheiten und Fehlern. Sie müssen einander in ihrer jeweiligen Widersprüchlichkeit und Komplexität anerkennen und lieben lernen. Im Zuge dessen jedoch verändern Sie sich, unweigerlich. Dasselbe gilt auch für Gesellschaften. Wenn Sie eine Kultur des ehrlichen, friedlichen Miteinanders entwickeln wollen, dann bedeutet dies zwangsläufig Wandel. Wir alle werden uns wandeln müssen. Gemeinsam.

> *Meine Utopie ist gar nicht so weit weg,*
> *hab ich verstanden*
> *Denn sie wohnt sehr wohl in meinem Kopf,*
> *somit in meinem Handeln*
> *Ich glaub kaum an die Wahrheit,*
> *aber an Realität*
> *Um zu glauben, das wird nix mehr,*
> *ist es viel zu spät*
>
> Sookee

Wandel ist unausweichlich – ein Gedanke, der bei vielen auch Ängste freisetzt. Vor *Fremden*, die *uns* verändern. Davor, *uns* zu verlieren.

Woher kommt diese Angst? Hat sie mit der Schwierigkeit zu tun, gleichberechtigte Menschen in denjenigen zu erkennen, die als »fremd« bezeichnet werden? »Feminismus ist die radikale Vorstellung, dass Frauen Menschen sind« – so lautet ein berühmtes Zitat der Autorin und feministischen Aktivistin Marie Shear.[8] Radikal, so die Pointe ihres Satzes, ist eigentlich nur die Ungerechtigkeit, die aufrechterhalten werden soll. Denn es geht um *Mitmenschen*, mit denen wir gemeinsam in die Zukunft gehen werden. So oder so.

Was uns eigentlich Angst macht, ist dies: In welche Zukunft? Wie wird sie aussehen, wie gestalten wir sie? Gesellschaftlicher Wandel weckt bei uns allen Befürchtungen, denn er bedeutet, sich vom Alten zu verabschieden – zugunsten einer ungewissen Zukunft. Wie aber sähe eine Welt aus, in der kein Mensch aufgrund seiner Hautfarbe, seines Geschlechts, seiner Religion, seiner Klasse oder seiner sexuellen Orientierung diskriminiert wird? Eine Welt, in der Menschen sich nur so viel nehmen, wie sie tatsächlich brauchen? In der sie nur so viel konsumieren, wie die Erde es verträgt? Eine Welt, in der der Wohlstand der einen nicht auf der Ausbeutung und Entmenschlichung der anderen aufbaut? Ehrlich gesagt: Es gibt keine Gewissheiten. Ich kenne eine solche Welt nicht, keiner kennt sie.

Die einzige Gewissheit in diesem Zusammenhang ist aber wahrscheinlich, dass eine gerechtere Gesellschaft nicht einfach von selbst irgendwann *passieren* wird. Wenn soziale und politische Gerechtigkeit tatsächlich unsere Zukunft werden soll, »dann wird sie durch das bewusste Handeln von Menschen herbeizuführen sein, die gemeinsam agieren, um sie zu verwirklichen«, schreibt der Soziologe Erik Olin Wright.[9] Wenn wir uns von dem Gedanken lösen, Ideale müssten überall und auf einmal realisiert werden, können wir uns die Freiheit schaffen, *jetzt* schon Räume zu öffnen, in denen wir Utopien, so gut es geht, ausprobieren. Wohl wissend, dass dieses Ausprobieren nur bedingt gelingen kann.[10] Wright nennt diese Orte »reale Utopien« und plädiert dafür, sich von der Illusion zu verabschieden, ein für alle Mal perfekte Institutionen zu gestalten, um uns fortan ausruhen zu können. »Wir können uns nicht entspannen«, schreibt er. Weil es keine perfekten Institutionen geben könne, die allen Idealen einer gerechten Gesellschaft entspricht und sich selbst korrigieren kann. Es brauche deshalb konstante Wachsamkeit und konstantes Lernen: »Letztlich wird die Verwirklichung dieser Werte jedoch vom menschlichen Handlungsvermögen abhängen: von der kreativen Bereitschaft der Menschen, sich an der Schaffung einer besseren Welt zu beteiligen, aus den unvermeidbaren Fehlern zu lernen und energisch die erreichten Fortschritte zu verteidigen.«[11]

Was wir jetzt benötigen, sind deshalb keine verordneten Formeln, keine vorgekauten, simplen Antworten, sondern inklusive, transparente Diskussionen um die Zukunft unserer Gesellschaft. Und nein, damit meine ich nicht TV-Talkshows mit ihren Inszenierungen von polarisierten Meinungen und verhärteten Fronten. Sondern einerseits neue Formen des gemeinsamen Sprechens und Denkens und andererseits *andere*, zukunftsgewandte Fragen – insbesondere solche, auf die wir noch keine Antworten haben.

> *Leben Sie jetzt die Fragen. Vielleicht leben Sie dann allmählich, ohne es zu merken, eines fernen Tages in die Antwort hinein.*
>
> Rainer Maria Rilke

Wenn wir Probleme benennen, fühlen wir uns sofort in der Verantwortung, Lösungen anzubieten. Ich kenne den Impuls, er hat mein ganzes Leben bestimmt. Doch so bleiben die tieferen, systematischen Ursachen der Probleme unbeleuchtet. Was aber würde passieren, wenn wir die vielen Probleme und Missstände dieser Gesellschaft nebeneinanderhielten? Vielleicht würde sich ein anderes, ein neues Bild offenbaren? Eines, das strukturelle Zusammenhänge verdeutlicht?

Viele Tausende und inzwischen Millionen junger Menschen führen seit 2018 im Rahmen von Fridays for Future die Dringlichkeit der Klimakrise vor Augen. Beharrlich lenken sie die Aufmerksamkeit auf das Problem in seinem vollen Ausmaß und lassen sich dabei nicht durch symbolische Maßnahmen der Politik besänftigen. Das ist richtig und wichtig. Denn viele dieser Maßnahmen stopfen lediglich die Löcher fundamental maroder Systeme und verzögern oder verhindern damit deren Erneuerung. Dass nun diese jungen Menschen dafür kritisiert werden, »nur« auf das Problem hinzuweisen, ohne ein politisches Lösungspaket, ist Symptom einer Haltung, die nicht neu ist: Auch in den Diskursen um soziale Gerechtigkeit finden sich die Leidtragenden gesellschaftlicher Missstände häufig in der Rolle der Störenden wieder. Indem sie Ungerechtigkeiten benennen, werden *sie* zur Unannehmlichkeit. Wenn beispielsweise Roma-Personen Antiziganismus thematisieren, dann werden sie dafür angegriffen, überhaupt aus ihrer Betroffenen-Perspektive heraus zu argumentieren. Doch: »Wer sich wehrt gegen Ungleichbehandlung oder Ausgrenzung, muss notgedrungen oft in Kategorien argumentieren, die selbst erst durch die Ausgrenzung entstanden sind«, schreibt Carolin Emcke.[12]

Es ist die Gabe und die Aufgabe der Jugend, Traditionen, Konventionen und Überzeugungen zu hinterfragen. Bei einem Essen am Sederabend, dem jüdischen Pessachfest, erklärte mir ein Freund eine Tradition, die seine Familie bei religiösen Festen pflegt: Die Kinder sitzen in der Mitte, umgeben von Erwachsenen, und dürfen ihnen den gesamten Abend über so viele Fragen zum Glauben, zu Gott und überhaupt stellen, wie sie möchten. Fragen stellen lernen, erklärte er mir, halte den Geist und den Intellekt der Kinder wach – und auch der Erwachsenen. Die richtigen, wichtigen Fragen zu stellen, das ist die eigentliche Herausforderung einer Zeit, in der wir uns mit absurden Fragen unterhalten und aufhalten lassen.

Als ich einmal bei einer Paneldiskussion über Feminismus verschiedene Missstände aufzählte, unterbrach mich die Moderatorin und sagte: »So, und jetzt bitte ein paar positive Sachen. Was läuft denn gut?«

Ich war irritiert. Es ist doch nicht per se negativ, auf das hinzuweisen, was nicht läuft. Es ist wichtig, dass wir die Spannung des Benennens von Missständen aushalten, denn wir brauchen ein Bewusstsein für die strukturellen Ursachen hinter den Symptomen, die so viel schwieriger zu greifen sind. Ein Bewusstsein für die Muster von Diskriminierung, für das, was Antisemitismus, antimuslimischer Rassismus, Sexismus, Ableismus und so weiter miteinander verbindet.

Genau das ist der Anspruch der Intersektionalität. Die afroamerikanische Wissenschaftlerin Kimberlé Williams Crenshaw, die den Begriff Ende der 1980er Jahre einführte, beschrieb die Problematik am Beispiel Schwarzer Frauen, deren Diskriminierungserfahrungen durch Sexismus, durch Rassismus und durch ein Zusammenwirken der beiden verursacht sein können. Diskriminierung lässt sich aber nur dann nachhaltig bekämpfen, wenn wir ihre verschiedenen Formen zusammendenken, wenn wir einige Schritte zurücktreten, das gesamte Bild betrachten und uns fragen: Was haben diese Missstände gemeinsam?

Für eine solche Art des Nachdenkens brauchen wir andere Räume des Gesprächs. Doch wo sind sie, die Orte, an denen wir öffentlich laut denken dürfen? Welche Alternativen gibt es zu einem Modus der öffentlichen Auseinandersetzung, bei dem fixe, vermeintlich alternativlose Positionen in Talkshows, in den sozialen Medien und auf Podien immer wieder aufs Neue aufeinanderprallen, ohne Suche nach dritten Optionen, ohne Raum für Zweifel, Zögern und Nachdenklichkeit?

Dabei braucht es genau das: Zögern. Zweifel. Die Möglichkeit, seine Meinung zu ändern. Die Möglichkeit, die eigene Position zu hinterfragen. Wir brauchen Orte, an denen wir denken können – nicht um zu demonstrieren, wie toll wir sind und wie viel wir wissen, sondern wie viel wir *nicht* wissen, aber erörtern möchten.

Wie können solche Orte aussehen? Und wie können sie ein neues Sprechen ermöglichen?

Es war ein befreiender Moment, als ich für die Inszenierung »What If Women Ruled The World« der israelischen Videokünstlerin und Theatermacherin Yael Bartana auf der Bühne stand und mit anderen über globale Abrüstungspolitik diskutieren durfte. Denn: In dieser Diskussion war ich nicht *ich*, sondern eine fiktive Figur. Ich musste mich nicht um meinen Ruf sorgen. Diese Freiheit, diese Unbeschwertheit, diese geistige Spielfreude, dieser unbekümmerte Mut, groß, radikal und laut zu denken und dabei auch nicht zu Ende Gedachtes zu teilen, eine Idee dafür zu öffnen, dass eine andere Person sie weiterspinnen kann – das ist es, was ich in den öffentlichen Diskursen vermisse.

Aber wie geht gemeinsames Nachdenken? Der Quantenphysiker und Philosoph David Bohm setzte sich mit dieser Frage auseinander und argumentierte, dass in einem wirklichen Dialog niemand gewinnen müsse:

> Wenn einer gewinnt, gewinnen alle. Es steckt ein anderer
> Geist dahinter. In einem Dialog wird nicht versucht, Punkte
> zu machen oder den eigenen Standpunkt durchzusetzen.
> Vielmehr gewinnen alle, wenn sich herausstellt, daß irgend-
> einer der Teilnehmer einen Fehler gemacht hat. Es gibt nur
> Gewinner, während das andere Spiel Gewinnen-Verlieren
> heißt – wenn ich gewinne, verlierst du. Aber ein Dialog hat
> eher etwas von gemeinschaftlichem Teilhaben, bei dem
> wir nicht gegeneinander spielen, sondern miteinander. In
> einem Dialog gewinnen alle.[13]

Das setzt voraus, dass alle Beteiligten auf ihren Absolutheitsanspruch verzichten und ihre eigene Fallibilität anerkennen. Bohm schrieb, dass sich so eine neue Form des Nachdenkens entwickle, die auf einem kooperativen Sinnstiftungsprozess aufbaut, der veränderlich und unabgeschlossen bleibt.

Wir standen nicht länger zueinander in Opposition, man kann auch nicht sagen, daß wir in eine bloße Wechselwirkung getreten sind, sondern vielmehr, daß wir alle an dieser gemeinsamen Bedeutung teilgenommen haben, die zu einer gemeinsamen Entwicklung und Veränderung führen kann. Bei dieser Entwicklung hatte die Gruppe keinen von vornherein festgelegten Zweck, obwohl sich in jedem Augenblick ein Zweck hätte zeigen können, der die Freiheit zur Veränderung hat. Die Gruppe begann, sich in einer neuen dynamischen Beziehung zu engagieren, in der kein Sprecher und kein bestimmter Inhalt ausgeschlossen sind. Soweit haben wir nur begonnen, die Möglichkeiten des Dialogs in dem Sinn zu erforschen, der hier beschrieben wurde, aber wenn wir so weitermachen, würde sich uns die Möglichkeit einer Veränderung nicht nur der Beziehung zwischen Menschen, sondern darüber hinaus eine Veränderung des Bewußtseins, in dem diese Beziehung entsteht, eröffnen.[14]

Doch sollte dabei – beim gemeinsamen Denken – die Toleranz für die Perspektive unseres diskursiven Gegenübers grenzenlos sein? Der afroamerikanische Autor Robert Jones jr. formulierte eine so einfache wie klare Regel. »Wir können verschiedener Meinung sein und uns dennoch lieben«, schrieb er, »es sei denn, dein Dissens wurzelt in meiner Unterdrückung und in deiner Weigerung, meine Menschlichkeit und meine Daseinsberechtigung anzuerkennen.«[15] Das ist der Tisch, an den wir uns niemals setzen sollten. Damit wir gemeinsam laut denken können, brauchen wir also auch Regeln und Grenzen.

Denn ja, im Grunde kann jede Frage gestellt werden. Doch *muss* auch jede Frage in jedem Kontext von allen beantwortet werden? Ein Beispiel: Menschen stellen manchmal die absurdesten Fragen – etwa, ob ich mit Kopftuch dusche. Ob eine solche Frage in einem privaten Gespräch beantwortet werden könnte, ist das eine – aber sie gehört definitiv nicht in eine Talkshow vor einem Millionenpublikum. Warum? Weil sie mich und andere kopftuchtragende Frauen in eine Objektposition drängt und letztlich dazu führt, uns lächerlich zu machen. Müssen wir tatsächlich alle darüber diskutieren, ob Schwarze Menschen gute Nachbarn sein können? Das Kriterium sollte sein: Ist eine Frage von wirklicher gesellschaftlicher Relevanz? Ist sie konstruktiv, bringt sie uns irgendwie weiter? Oder will sie lediglich Angst und Ohnmacht verbreiten?

Denn keine dieser inszenierten Diskussionen entlarvt die Menschenfeindlichkeit, die dort propagiert wird, im Gegenteil: Sie erhält Präsenz und Relevanz, wird zur *Meinung*, während jene, die sich dagegen auflehnen, über den *Grad* ihrer Entmenschlichung verhandeln müssen. Und wenn sich jene Engagierten auf diese Inszenierung nicht einlassen? Dann wird ihnen mangelnde Diskurs- und Kritikfähigkeit bescheinigt: Sie seien nicht in der Lage, mit abweichenden *Meinungen* umzugehen.

> *I would rather be a bad feminist than no feminist at all.*
>
> Roxane Gay

Als Dale Spender für ihr Buch *For The Record* die Arbeiten anderer Feministinnen zusammentrug und damit auch *über* sie schrieb, sie einordnete und kommentierte, gab sie allen noch vor der Buchveröffentlichung, also im Buch selbst die Möglichkeit, darauf zu reagieren. Als die Antworten nach und nach eingingen, realisierte Spender, »dass sich viele feministische Theoretikerinnen, die sich so integer wie möglich mit ihren Ideen und

Erklärungen vorwagten, damit zugleich angreifbar machten und für ihre Bemühungen gescholten wurden«. Dabei habe sie Folgendes gelernt:

> Wir können es einfach nicht riskieren, gegen unsere Schwestern so stark auszuteilen, dass diese sich zurückziehen und künftig jede riskante Äußerung vermeiden. (…) Es wäre eine so schmerzhafte Ironie, wenn wir die Differenzen zwischen uns als verdammungswerter empfänden als jene riesigen Differenzen, die uns von patriarchalen Auffassungen trennen.[16]

Spender plädiert hier nicht für das Unterlassen von Kritik, sondern für ein Bewusstsein für das Maß, die Form und die Art der Kritik. Sie plädiert für einen wohlwollenden Diskurs, der durch Austausch, nicht durch Abgrenzung geformt wird.

Denn für ein wirklich gemeinsames Nachdenken über unsere gemeinsame Zukunft braucht es vor allem das: *Wohlwollen* zwischen Menschen, die sich prinzipiell den gleichen Werten verschrieben haben. Kritisches Denken bedeutet nicht, sich über die Kritisierten zu erheben. Wer wohlwollend kritisiert, der öffnet seinem Gegenüber eine Tür, durch die er auf einen zugehen kann. Und Kritik kann auch Zustimmung enthalten – nur so entstehen neue gedankliche Wege, die allen offenstehen, auch wenn nicht alle derselben Meinung sind.

Wir sind Menschen. Wir werden Fehler machen. Wir werden verletzen und verletzt werden. Doch nur, wenn wir einander nicht für immer auf eine Position festnageln, wenn wir uns selbst und andere nicht auf starre Perspektiven festlegen, werden wir gemeinsam weiterkommen. Ohne Fehler hätten wir niemals Gehen, Sprechen, Lesen oder Schreiben gelernt. Nur durch diese menschlichen Fehler lernen wir die Welt und uns selbst kennen.

Wenn wir gemeinsames Denken ermöglichen möchten, so müssen wir lernen, einander Entwicklung zuzugestehen. Die Freiheit, zu werden – gerade in der Netzöffentlichkeit. Denn jeder unserer Fehler, jede Dummheit, jeder schwache Moment, jede dunkle Facette im Prozess des Menschwerdens bleibt für immer und ewig im digitalen Archiv auffindbar. Und es ist so einfach, einen Menschen auf seinen menschlich schwächsten Moment zu reduzieren – nur weil er öffentlich stattfand oder öffentlich gemacht wurde. Es ist einfach, sich moralisch überlegen zu fühlen.

Doch auf diese Weise verkommt der politische Diskurs – online wie offline – zu einer Kultur der gegenseitigen Beobachtung, deren einziges Ziel die Suche nach Fehlern der anderen zu sein scheint. Kritik und Häme werden zur digitalen Währung: Wie geschickt können wir Menschen diffamieren? Wie gekonnt jemanden digital abschießen? Wenn wir dagegen Orte des gemeinsamen Denkens schaffen wollen, dann brauchen wir Geduld und Wohlwollen gegenüber uns selbst und anderen, die am gleichen Strang ziehen wie wir. Sonst werden Orte des öffentlichen Denkens nicht möglich sein.

Denn wir bewegen uns erst noch *hin* zu einer tatsächlich gerechten, inklusiven Gesellschaft frei von Diskriminierung und Extremismus. Niemand ist »die perfekte Demokratin« oder »der engagierte Bürger«. Niemandem gelingt es, in jedem Moment gegen alle diskriminierenden Strukturen, für Umweltbewusstsein, gegen Gewalt im Kleinen und im Großen, die Kriege und Ungerechtigkeiten dieser Welt zu kämpfen. Jede unserer Handlungen ist ein Kompromiss zwischen unseren Idealen und der Realität, in der wir uns befinden.

Anders können wir nicht handeln.

»Is there space among the woke for the still-waking?«[17], fragte der Autor Anand Giridharadas und verdeutlichte damit: Das politische Erwachen, also *wokeness*, als das Bewusstsein für Ungerechtigkeiten und Unterdrückung sowie der Willen, sich für Pluralität einzusetzen, ist ein *Prozess*, keine Position, die ein Mensch irgendwann erreicht.

Niemand ist perfekt. Manche sind konsequenter als andere, manche sind stärker oder mutiger oder einfach nur privilegierter in ihren Möglichkeiten. Niemand ist ein personifiziertes Ideal. Und manchmal ist es einfach gut zu wissen, das Unmögliche versucht zu haben, daran gescheitert und trotzdem wieder ein Stück weitergekommen zu sein. Am schönsten sagt es die feministische Autorin Roxane Gay in ihrem Buch *Bad Feminist*:

> Ich nehme die Bezeichnung *bad feminist* in Anspruch, weil ich ein Mensch bin. Ich bin chaotisch. Ich versuche nicht, ein gutes Beispiel für andere zu sein. Ich versuche nicht zu sagen, ich hätte auf alles eine Antwort. Ich versuche nicht zu sagen, mit mir würde alles stimmen. Ich versuche nur das nach außen zu tragen, woran ich glaube. Ich versuche, etwas Gutes zu tun in dieser Welt, versuche, mit meinem Schreiben Aufmerksamkeit zu erregen und dabei ich selbst zu bleiben.[18]

Wir brauchen ein Bewusstsein für die eigene Fallibilität. Und wir brauchen Orte, an denen wir die Zukunft ausprobieren, an denen wir ein neues Sprechen üben können: zweifelnd, nachdenklich, hinterfragend, mal laut, mal leise – und immer mit Wohlwollen. Dieses Buch versteht sich als ein Beitrag auf der Suche nach einer Sprache, in der wir alle als Menschen in unserer Komplexität gleichberechtigt existieren können, als ein Nachdenken auf dem Weg dahin, unsere Ideale einer besseren Gesellschaft zu verwirklichen. Es will Anreize geben, die Architektur und damit auch die Grenzen unseres Sprechens, Denkens, Fühlens und Lebens zu erkennen und an ihnen zu arbeiten. Zu erkennen, dass diese Welt, wie sie ist, keine gerechte ist – so komfortabel sie auch für manche sein mag. Sich Gedanken über einen *tatsächlichen* Wandel zu machen. Auch wenn es zwischendurch ungemütlich wird. Auch wenn es mehr Fragen als Antworten gibt.

Anreize, zu hoffen. Sich nicht an Unrecht zu gewöhnen.

Anreize, sich der eigenen Perspektive und Begrenztheit bewusst zu werden. Und damit der Potenziale dieser Welt.

Anreize, an der Gesellschaft mitzubauen, in der wir wirklich leben wollen.

In der alle gleichberechtigt sprechen und sein können.

DANK

*Und unter seinen Wundern ist die Schöpfung der
Himmel und der Erde und die Vielfalt eurer Zungen
und Farben: denn hierin, siehe, sind fürwahr
Botschaften für alle, die Wissen besitzen!*

Sure 30, Vers 22

Dieses Buch zu schreiben war ein Geschenk. Weil es mir die Gelegenheit gab, mehrere Schritte zurückzutreten und die Welt, das politische wie gesellschaftliche Geschehen mit größerer Ruhe und umfassender zu betrachten. Weil es mir die Gelegenheit gab, nicht nur in der Analyse der Gegenwart zu verweilen, sondern Wege in die Zukunft zu ergründen. Es ist, wie Kader Abla mir vorlebte: In dem Moment, in dem sie sprach, wurde sie sichtbar. Es ist, wie Grada Kilomba erkannte: In dem Moment, in dem sie ihr Buch schrieb, wurde aus ihr, dem Objekt, ein Subjekt.

Ich danke allen Menschen, die vor mir kamen und die mir durch ihr Wissen, ihre Erkenntnisse, ihre Kämpfe, ihre Leben den Weg ebneten. Ich bin dankbar dafür, dass ich euch in euren Büchern, eurer Arbeit kennenlernen durfte. Wenn ich lese, was ihr geschrieben habt, fühle ich Demut und Freude darüber, am Gespräch eurer Gedanken teilzunehmen – in der Hoffnung, sie vielleicht noch ein bisschen mehr zu verbinden.

Ich danke den Menschen, die mich bei der Entstehung dieses Buches begleiteten – durch Gedanken, Hinweise, Intellekt und/ oder ihre Freund*innenschaft: Şeyma Preukschas, Emilia Roig, Michael Seemann, Teresa Bücker, Rea Mahrous, Canan Bayram,

185

Meltem Kulaçatan, Sookee, Mareice Kaiser, Lann Hornscheidt, Bahar Aslan, Sertaç Sehlikoğlu, Anne Wizorek, Hatice Akyün, Naika Foroutan, Margarete Stokowski, Annina Loets, Marie Meimberg, Anja Saleh, Christoph Rauscher, Milena Glimbowski, Mithu Sanyal, Tupoka Ogette, Tsepo Bollwinkel, Anatol Stefanowitsch, Max Czollek und Bernd Ulrich. Außerdem allen Menschen, die eigens für dieses Buch Gedanken mit mir teilten (ihr seid Juwelen!), Mitglieder diverser Chat-Gruppen (u. a. die »allerbeste«) und den Gästen und Musiker*innen unserer beseelenden Erzählabende, in denen ich ein neues Sprechen immer wieder aufs Neue und die Zukunft bereits heute erleben darf.

Ich danke der Redaktion des *Bref*-Magazin dafür, dass sie mich dabei begleitete, zur Sprache zu finden. Der Alfred Toepfer Stiftung und der Roger Willemsen Stiftung für die schönsten Schreiborte, an denen ich Inspiration und Ruhe fand. Meinen Hütte-in-der-Pampa-Begleiterinnen Alice Hasters und Ronja von Wurmb-Seibel.

Meiner Agentin Franziska Günther, meinem Verlag Hanser Berlin für Vertrauen und Zuspruch, insbesondere meinem Verleger, Lektor und Geburtshelfer Karsten Kredel. Danke für deinen stets kritischen, wachen Geist, an dem ich wachsen durfte. Nes Kapucu für das grandiose Cover, welch Talent! Und Julia Obermann, die mir den Rücken freihält.

Meinen Eltern, İbrahim und Ayşe. Bana aşıladığınız güvenle, bulunduğum her yere ve çevremdeki her insana tereddüt etmeden sevgiyle yaklaşabildim. Bana bir ana babanın çocuğuna verebileceği en güzel hediyeleri verdiniz, bir ömürlük dost ve yoldaşlarım, kardeşlerimi hayatıma kattınız. Sorumluluk sahibi bir birey, evlat, abla ve kardeş olmayı ve en önemlisi kulluğu öğrettiniz. Düşeni kaldırmanın bir sorumluluk olduğunu, gayretin zaferden evla olduğunu öğrettiniz. Bugün durduğum yerden geriye baktığımda, yaşadıklarımda, hissettiklerimde ve sahip olduğum her şeyde beni ben yapan izlerinizi görüyorum. Umarım sizlere duyduğum minneti hayırlı bir evlat olarak göstermek Allah'ın izniyle nasip olur.

Meinem Großvater Mehmet, mit dem das Leben unserer Familie in Deutschland seinen Anfang fand. Babaannem ve bizler seni çok özlüyoruz. Mekanın cennet olsun, dedeciğim.

Dem Mann an meiner Seite, Ali. Ohne dich hätte es dieses Buch nicht gegeben. Ich danke dir. Für dein Herz, deinen Intellekt und deinen Glauben – an mich, an uns und das, was unser Menschsein auf dieser Erde ausmacht. Für deine Liebe. Für mich und den größten kleinen Segen unseres Lebens.

Ich danke dir, kleiner Mensch. Mit deiner Geburt haben sich meine Augen noch einmal neu geöffnet, und seither habe ich sie mit dir immer wieder neu öffnen dürfen. Mögen die Worte, die dir dein Großvater in die Ohren flüsterte, ein lebenslanger Begleiter sein.

Und: *Hamdulillah.*

Kübra Gümüşay
Hamburg, Oktober 2019

NACHWEISE UND ANMERKUNGEN

Seite 9: Als ich diese Worte des persischen Dichters Dschalāl ad-Dīn Muhammad Rūmī (kurz: Rumi) das erste Mal las, begab ich mich auf die Suche nach dem persischen Original – vergeblich. Heute weiß ich, warum: Sie beruhen auf einer Nachdichtung von Coleman Barks, der selbst des Persischen nicht mächtig ist. Barks' Interpretationen sind dafür kritisiert worden, dass sie islamische Referenzen bewusst ausblenden. Darauf möchte ich hier hinweisen.

Seite 11: Martin Buber, *Ich und Du,* Stuttgart 1995, S. 11.

Seite 18: Luise F. Pusch, *Alle Menschen werden Schwestern. Feministische Sprachkritik* © Suhrkamp Verlag Frankfurt am Main 1990, S. 101.

Seite 21: Ludwig Wittgenstein, *Tractatus Logico-Philosophicus,* London 1922, Satz 5.6.

Seite 27: Ta-Nehisi Coates, »Fear of Flying«, *The Atlantic,* 16.01.2013, https://www.theatlantic.com/national/archive/2013/01/fear-of-flying/267240/ (abgerufen am 19.09.2019). Übersetzt von der Autorin.

Seite 45: James Baldwin, *The Cross of Redemption: Uncollected Writings,* New York 2010, S. 67 f.

Seite 45: Jacques Derrida, *Die Einsprachigkeit des Anderen oder die ursprüngliche Prothese,* übersetzt von Michael Wetzel © 2003 Wilhelm Fink Verlag, ein Imprint der Brill Gruppe (Koninklijke Brill NV, Leiden, Niederlande; Brill USA Inc., Boston MA, USA; Brill Asia Pte Ltd, Singapore; Brill Deutschland GmbH, Paderborn, Deutschland), S. 12.

Seite 48: Robert Habeck, *Wer wir sein könnten: Warum unsere Demokratie eine offene und vielfältige Sprache braucht* © 2018, Verlag Kiepenheuer & Witsch GmbH & Co. KG, Köln, S. 125 f.

Seite 56: Auszug aus dem Gedicht »gegen leber-wurst-grau – für eine bunte republik«. May Ayim, *Blues in Schwarz Weiß,* Berlin 2005, S. 62.

Seite 56: Maya Angelou und Oprah Winfrey, »When People Show You Who They Are, Believe Them«, *Oprah.com,* 26.10.2011, http://www.oprah.com/oprahs-lifeclass/when-people-show-you-who-they-are-believe-them-video (abgerufen am 19.09.2019).

Seite 58: Grada Kilomba, *Plantation Memories. Episodes of Everyday Racism – Kurzgeschichten in englischer Sprache* © UNRAST-Verlag, 2018, S. 26.

Seite 69: Grada Kilomba, *Plantation Memories: Episodes of Everyday Racism – Kurzgeschichten in englischer Sprache* © UNRAST-Verlag, 2018, S. 152 f.

Seite 72: »Sobald wir uns neue Wörter aneignen, werden wir von ihnen ausgeschlossen.« Sheila Rowbotham, *Woman's Consciousness, Man's World*, London 2015, S. 32. Übersetzt von der Autorin.

Seite 79: Michel Foucault, »Wahrheit, Macht, Selbst. Ein Gespräch zwischen Rux Martin und Michel Foucault«, in: *Technologien des Selbst*, hg. von L. H. Martin, übersetzt von Michael Bischoff, Frankfurt am Main 1993, S. 15.

Seite 82: Auszug aus dem Gedicht »gegen leber-wurst-grau – für eine bunte republik«. May Ayim, *Blues in Schwarz Weiß*, Berlin 2005, S. 62.

Seite 95: Anand Giridharadas, *Winners Take All. The Elite Charade of Changing the World*, New York 2018, S. 267. Übersetzt von der Autorin.

Seite 111: Übersetzt von der Autorin. Der Twitter Account von Osman Faruqi existiert inzwischen nicht mehr. https://twitter.com/oz_f/status/1106419337567428608.

Seite 124: Victor Klemperer, *LTI: Notizbuch eines Philologen*, Stuttgart 1975, S. 21.

Seite 133: Aristoteles, *Philosophische Schriften in 6 Bänden*, Band 1, Hamburg 1995, S. 6.

Seite 133: Theodor W. Adorno, *Erziehung zur Mündigkeit, Vorträge und Gespräche mit Hellmuth Becker 1959 bis 1969*. Herausgegeben von Gerd Kadelbach © Suhrkamp Verlag Frankfurt am Main 1971. Alle Rechte bei und vorbehalten durch Suhrkamp Verlag Berlin, S. 92 f.

Seite 133: Stephen Toulmin, *Kosmopolis. Die unerkannten Aufgaben der Moderne*, übersetzt von Hermann Vetter, Berlin 1994, S. 59 f.

Seite 139: Bernd Ulrich, *Guten Morgen, Abendland. Der Westen am Beginn einer neuen Epoche: Ein Weckruf* © 2017, Verlag Kiepenheuer & Witsch GmbH & Co. KG, Köln, S. 27.

Seite 153: zitiert in David Bohm, *On Dialogue*, New York 2004, S. xi. Übersetzt von der Autorin.

Seite 156: Jacob Sam-La Rose zitiert in Grada Kilomba, »Becoming a Subject«, in: *Mythen, Masken, Subjekte. Kritische Weißseinsforschung in Deutschland*, hg. von Maureen Maisha Eggers, Grada Kilomba, Peggy Piesche und Susan Arndt, Münster 2009, S. 22.

Seite 163: Dale Spender, *For the Record: Making and Meaning of Feminist Knowledge*, Toronto 1985, S. 64. Übersetzt von der Autorin.

Seite 167: Lewis Carroll, *Alice im Wunderland*, übersetzt von Christian Enzensberger, Berlin 2011, S. 68.

Seite 172: Sookee, »Working on Wonderland«, vom Album *Bitches, Butches, Dykes & Divas*, 2011.

Seite 174: Rilke in einem Brief an Franz Xaver Kappus, z. Zt. Worpswede bei Bremen, am 16. Juli 1903. Rainer Maria Rilke, *Briefe an einen jungen Dichter*, Leipzig 1929, S. 23.

Seite 179: Roxane Gay, *Bad Feminist*, New York 2014, S. 318.

Die Macht der Sprache

1 Die türkische Autorin Elif Şafak beschreibt *gurbet* als einen unsichtbaren Splitter unter der Haut, an der Spitze des Fingers. Sie schreibt: »Willst du ihn entfernen, vergeblich. Versuchst du ihn zu zeigen, ebenso vergeblich. Er wird zu deinem Fleisch, deinem Knochen, einem Teil deines Körpers. Eine Gliedmaße, die sich nicht mehr entfernen lässt, sei sie dir noch so fremd, sei sie noch so anders.« Elif Şafak, »Gurbet«, *Haberturk*, 26.11.2011, https://www.haberturk.com/yazarlar/elif-safak/679900-gurbet (abgerufen am 19.09.2019). Übersetzt von der Autorin.

2 Wilhelm von Humboldt, *Schriften zur Sprachphilosophie: Werke in fünf Bänden. Band 3*, Stuttgart 1963, S. 224.

3 Holden Härtl, »Linguistische Relativität und die ›Sprache-und-Denken‹-Debatte: Implikationen, Probleme und mögliche Lösungen aus Sicht der kognitionswissenschaftlichen Linguistik«, *Zeitschrift für Angewandte Sprachwissenschaft* 51 (2009), S. 45–81, http://www.uni-kassel.de/fb02/fileadmin/datas/fb02/Institut_f%C3%BCr_Anglistik_Amerikanistik/Dateien/Linguistik/Articles/paper_hhaertl_ZfAL_neu.pdf (abgerufen am 19.09.2019).

4 Die Übersetzung des Pirahã-Wortes als »viele« ist allerdings ungenau – wörtlich übersetzt bedeutet es »zusammenbringen«. Claire Cameron, »5 Languages That Could Change the Way You See the World«, *Nautilus*, 03.05.2015, http://nautil.us/blog/5-languages-that-could-change-the-way-you-see-the-world (abgerufen am 20.09.2019).

5 Sie kennen auch keine Begriffe der Mengenbestimmung wie »alle«, »jede/r«, »meist« oder »einige«. Pirahã ist nicht die einzige Sprache ohne Zahlwörter, jedoch sind die Pirahã laut Everett die einzigen, die auch in anderen Sprachen keine Zahlen erlernen – Everett und seine Frau versuchten ihnen über Jahre die Ziffern von 1 bis 10 auf Portugiesisch beizubringen. Es ist beeindruckend, dass die Pirahã es geschafft haben, trotz jahrzehntelanger Missionierungsversuche, aber auch Eingriffen und Regulierungen der Regierung den Einfluss der Außenwelt gering zu halten. John Colapinto, »The Interpreter: Has a remote Amazonian tribe upended our understanding of language?«, *The New Yorker*, 09.04.2007, https://www.newyorker.com/magazine/2007/04/16/the-interpreter-2 (abgerufen am 20.09.2019).

6 Daniel Everett, *Das glücklichste Volk. Sieben Jahre bei den Pirahã-Indianern am Amazonas,* übersetzt von Sebastian Vogel, München 2010, S. 196 und 200.

7 Kathrin Sperling, »Geschlechtslose Fräulein, bärtige Schlüssel und weibliche Monde – beeinflusst das grammatische Geschlecht von Wörtern unsere Weltsicht?«, *Babbel Magazin,* 25.02.2016, https://de.babbel.com/de/magazine/grammatisches-geschlecht-und-weltsicht (abgerufen am 20.09.2019).

8 BBC, »How language defines us as women«, *The Conversation,* 09.07.2019, https://www.bbc.co.uk/programmes/w3csynjf, ab Minute 4:41.

9 »Lost In Translation: The Power Of Language To Shape How We View The World«, Hidden Brain Podcast, 29. Januar 2018, https://www.npr.org/templates/transcript/transcript.php?storyId=581657754&t=1569927557957 (abgerufen am 09.10.2019).

10 Wie sich auch im Deutschen Geschichten erzählen lassen, ohne das Geschlecht der Personen zu benennen, führen Lann Hornscheidt und Lio Oppenländer in ihrem Buch *Exit Gender* beispielhaft vor. Lann Hornscheidt und Lio Oppenländer, *Exit Gender,* Berlin 2019.

11 Die erste westliche Beobachtung dieser Art machte der Soziolinguist Stephen Levinson und trug mit seiner Forschung maßgeblich dazu bei, die linguistische Relativitätshypothese im akademischen Diskurs prominenter zu diskutieren. https://pdfs.semanticscholar.org/400c/4086205ebbfacf938478d5b73ea9eb4b052a.pdf. Vergleiche auch Caleb Everett, *Linguistic Relativity. Evidence Across Languages and Cognitive Domains,* 2013, S. 20.

12 »Lost In Translation«, Hidden Brain Podcast. Übersetzt von der Autorin.

13 Annabell Preussler, »Über die Notwendigkeit des (geschlechter)gerechten Ausdrucks«, *maDonna* Nr. 1, http://www.gleichstellung.tu-dortmund.de/cms/de/Themen/Geschlechtergerechte_Sprache/__ber_die_Notwendigkeit_des_geschlechtergerechten_Ausdrucks.pdf (abgerufen am 09.10.2019).

14 Selbstverständlich handelt es sich hier um eine heteronormative Antwort, denn es könnte sich beispielsweise auch um eine homosexuelle Partnerschaft handeln; ein Kind könnte also zwei Väter haben. Oder auch einen biologischen und einen sozialen Vater.

15 Monika Dittrich, »Die Genderfrage im Rechtschreibrat«, *Deutschlandfunk,* 15.11.2018, https://www.deutschlandfunk.de/er-sie-die-genderfrage-im-rechtschreibrat.724.de.html?dram:article_id=433109 (abgerufen am 20.09.2019).

16 Dagmar Stahlberg, Sabine Sczesny und Friederike Braun, »Name Your Favorite Musician: Effects of Masculine Generics and of their Alternatives in German«, *Journal of Language and Social Psychology* 20, Nr. 4 (2001),

S. 464–469. Siehe auch Karin Kusterle, *Die Macht von Sprachformen*, Frankfurt am Main 2011.

17 In diesem Buch verwende ich da, wo möglich, geschlechtsumfassende Formulierungen und das Gender-Sternchen (*).

18 Gibt es weniger Sexismus und sexistische Gewalt in der Türkei, weil die Sprache zumindest grammatikalisch nicht diskriminiert? Nein – die Türkei ist eines der Länder mit den höchsten Femizid-Raten weltweit und mitnichten eine gendergerechte Gesellschaft. Denn Sprache ist nur *ein* Faktor. Andere sind mediale Bilder, Filme, Kunst, Kultur, Justiz, Exekutive, tradierte Machtkonstruktionen in Politik, Wirtschaft, Bildungsinstitutionen, religiösen Institutionen etc. Das Patriarchat findet mit einer Sprachreform kein Ende. Aber auch nicht ohne.

19 Genau deshalb schlägt Lann Hornscheidt vom Zentrum für Transdisziplinäre Geschlechterstudien an der Humboldt-Universität vor, ein »x« zu verwenden. Also »wenn die Frage, ob die gemeinten Personen weiblich, männlich oder trans* sind, in einem Kontext keine Rolle spielt oder keine Rolle spielen soll«. Ein Beispiel hierfür wäre: »Dix Studierx hat in xs Vortrag darauf aufmerksam gemacht, dass es unglaublich ist, wie die Universität strukturiert ist, dass es nur so wenige Schwarze/PoC Professxs gibt.« AG Feministisch Sprachhandeln der Humboldt-Universität zu Berlin, *Was tun? Sprachhandeln – aber wie? W_Ortungen statt Tatenlosigkeit*, 2014, S. 17, http://feministisch-sprachhandeln.org/wp-content/uploads/2014/03/onlineversion_sprachleitfaden_hu-berlin_2014_ag-feministisch-sprachhandeln.pdf (abgerufen am 09.10.2019). Hornscheidts Vorschlag wurde medial kontrovers diskutiert und führte auch zu Schmähkampagnen und Drohungen aus rechten Milieus. Doch je länger ich darüber nachdenke, umso eher leuchtet mir ein, dass – unabhängig davon, ob mittels eines »x« oder einer anderen Form – der Weg hin zu einer Sprache, in der Menschen nicht an allererster Stelle einer Geschlechtsidentität zugeordnet werden, ein richtiger Weg ist. Denn im Grunde bedeutet Hornscheidts Vorschlag nur: Deine Geschlechtsidentität ist mir (zunächst) egal beziehungsweise nicht wichtig. In *Exit Gender* schlagen Lann Hornscheidt und Lio Oppenländer vor, alle Äußerungen mit »die Person, die … (lehrt, singt, Rad fährt)« zu beginnen, übernommen aus der BeHinderten-Bewegung: Die Person kommt zuerst, alles andere sind Zusätze, die nicht die Essenz einer Person darstellen. Vgl. Hornscheidt und Oppenländer, 2019.

20 David Foster Wallace, *Das hier ist Wasser / This is Water*, übersetzt von Ulrich Blumenbach, Köln 2012, S. 9.

21 George Steiner, *Sprache und Schweigen. Essays über Sprache, Literatur und das Unmenschliche*. Berlin 2014, S. 175.

22 Ebd., S. 155.

1 Jhumpa Lahiri, »I am, in Italian, a tougher, freer writer«, *The Guardian*, 31.01.2016, https://www.theguardian.com/books/2016/jan/31/jhumpa-lahiri-in-other-words-italian-language (abgerufen am 16.09.2019). Übersetzt von der Autorin.

2 Navid Kermani, »Ich erlebe Mehrsprachigkeit als einen großen Reichtum«, *Goethe-Institut*, http://www.goethe.de/lhr/prj/mac/msp/de2391179.htm (abgerufen am 01.10.2019).

3 »Das Pferde-Plagiat«, *Die Zeit*, 01.03.1963, https://www.zeit.de/1963/09/das-pferde-plagiat (abgerufen am 09.10.2019).

4 Elif Şafak, »Writing in English brings me closer to Turkey«, *British Council Voices Magazine*, 19.11.2014. https://www.britishcouncil.org/voices-magazine/elif-shafak-writing-english-brings-me-closer-turkey (abgerufen am 01.10.2019). Übersetzt von der Autorin.

5 Emine Sevgi Özdamar, *Die Brücke vom Goldenen Horn*, Köln 1998.

6 »Aufgrund eines fremden Akzents«, so beschreibt es die Schweizer Linguistin Marie José-Kolly, »schließen Muttersprachler unbewusst auch auf Bildungsgrad, sozialen Status, Intelligenz und sogar Persönlichkeitszüge.« Marie-José Kolly, »Weshalb hat man (noch) einen Akzent? Eine Untersuchung im Schnittfeld von Akzent und Einstellung bei Schweizer Dialektsprechern«, *Linguistik Online* 50, Nr. 6 (2011), https://doi.org/10.13092/lo.50.319 (abgerufen am 09.10.2019).

7 Dave Burke, »Princess Charlotte can already speak two languages – at age TWO«, *Mirror*, 13.01.2018. https://www.mirror.co.uk/news/uk-news/princess-charlotte-can-already-speak-11848448 (abgerufen am 01.10.2019).

8 Ich bekam damals eine Zusage für das Praktikum in der Kinderarztpraxis. Als türkische Mütter mit ihren Kindern in die Praxis kamen und mich um Übersetzungshilfe baten, wurde ich mit ihnen in ein Hinterzimmer geschickt. Auch in der Praxis, wurde mir erklärt, werde kein Türkisch gesprochen.

9 Die Europäische Union übte Druck auf die türkische Regierung aus, die sich damals inmitten der EU-Beitrittsverhandlungen befand. So konnte Leyla Zanas Haft vorzeitig beendet werden. Alexander Isele, »Kämpferin: Personalie: Die kurdische Politikerin Leyla Zana droht mit Hungerstreik«, *Neues Deutschland*, 14.09.2015, https://www.neues-deutschland.de/artikel/984363.kaempferin.html (abgerufen am 20.09.2019). 24 Jahre später, im November 2015, wurde Leyla Zana erneut ins türkische Parlament gewählt, dieses Mal für die HDP. Zwar legte sie ihren Eid ohne Kommentar auf Türkisch ab, doch schwor sie statt auf das »türkische Volk« auf das »Volk der Türkei«, um zu betonen, dass nicht die gesamte Bevölkerung der Türkei »türkisch« ist. Auch dies löste eine Kontroverse aus. dpa/afp,

»Kurdin löst Kontroverse im türkischen Parlament aus«, *Deutsche Welle*,
17.11.2015, https://p.dw.com/p/1H7S0 (abgerufen am 20.09.2019). Nach
dem Entzug ihres Stimmrechts wurde ihr 2018 auch ihr Parlamentssitz
entzogen. dpa/afp, »Kurdische Abgeordnete Leyla Zana verliert Parlamentssitz in der Türkei«, *Deutsche Welle*, 12.01.2018, https://p.dw.com/
p/2qmD2 (abgerufen am 20.09.2019).

10 Bejan Matur, *Dağın Ardına Bakmak*, Istanbul 2011, S. 89. Übersetzt von
der Autorin.

11 Robin Kimmerer, *Braiding Sweetgrass*, Minneapolis 2013, S. 50. Übersetzt
von der Autorin.

12 Ebd.

13 Kurt Tucholsky, *Sprache ist eine Waffe. Sprachglossen*, Hamburg 1989,
S. 48 f.

14 Colm Tóibín, »The Henry James of Harlem: James Baldwin's struggles«,
London Review of Books, 14.09.2001, https://www.theguardian.com/
books/2001/sep/14/jamesbaldwin (abgerufen am 01.10.2019).

15 James Baldwin, *The Cross of Redemption: Uncollected Writings*, New York
2010, S. 67. Übersetzt von der Autorin.

Die Lücke ist politisch

1 »Um als Unrecht zu gelten, muss etwas sowohl schädigend als auch
ungerecht sein, also entweder diskriminierend oder anderweitig unfair.
Im vorliegenden Fall sind sowohl die belästigende als auch die belästigte
Person kognitiv eingeschränkt – beiden fehlt ein umfassendes Verständnis davon, wie er sie behandelt –, doch für den Täter stellt dessen kogni-
tive Einschränkung keinen bedeutenden Nachteil dar, (während) sie ohne
dieses Verständnis zutiefst notleidend, verwirrt und isoliert zurückbleibt
und zudem anfällig ist für weitere Belästigungen. Ihr hermeneutischer
Nachteil macht es ihr unmöglich, ihre fortdauernde Misshandlung als
solche zu erkennen, und das wiederum hält sie davon ab, dagegen
aufzubegehren oder gar effektive Maßnahmen zu deren Beendigung zu
treffen.« Miranda Fricker, *Hermeneutical Injustice: Power and the Ethics
of Knowing*, Oxford 2007, Kapitel 2, S. 5, https://doi.org/10.1093/acprof:oso/
9780198237907.001.0001 (abgerufen am 20.09.2019). Übersetzt von der
Autorin.

2 Betty Friedan, *Der Weiblichkeitswahn oder Die Selbstbefreiung der Frau*,
übersetzt von Margaret Carroux, Hamburg 1970.

3 Sie selbst bezeichnete diese Frauen nicht explizit als »weiße Frauen«. Mir
ist diese Hervorhebung aber wichtig, da zur gleichen Zeit Arbeiterfrauen,
Women of Color und Migrantinnen in den USA gänzlich andere Lebens-

realitäten hatten und beispielsweise von »Rassensegregation« betroffen
waren.

4 Friedan, 1970, S. 9.

5 Ebd., S. 17.

6 Dale Spender, *For the Record. The Making and Meaning of Feminist
Knowledge*, Toronto 1985, S. 10.

7 »Es (das N-Wort) ist eine Fremdbezeichnung für Schwarze Menschen von
weißen Menschen. Das Wort lässt sich nicht von seiner rassistischen
Entstehungsgeschichte entkoppeln. Ebenso bezieht sich der Begriff auf
die Hautfarbe von Menschen und konstruiert demnach eine Identität
über die Pigmentierung von Menschen«, schreibt die Autorin und Aktivistin Tupoka Ogette. Tupoka Ogette, *exit RACISM: rassismuskritisch
denken lernen*, Münster 2017, S. 75.

8 »Das Beharren auf einer Sichtweise schließt nicht nur vieles aus (und ist
deshalb parteiisch und ungenau), es nimmt für diejenigen, die diese
Sichtweise zufälligerweise vertreten, auch ein erhebliches Privileg in
Anspruch. Sie sind in der privilegierten Position, ›alles‹ zu wissen: Ihre
Voreingenommenheit, ihre Begrenzungen werden zum Maßstab, mit dem
alles andere gemessen wird, und wenn sie eine bestimmte Erfahrung
niemals gemacht haben – so wie Weiße in der westlichen Gesellschaft
keine rassistische Diskriminierung erleiden, Beschäftigte nachvollziehen
können, wie es ist, arbeitslos zu sein, und Männer nicht wissen, wie sich
die täglichen Routinen einer Hausfrau anfühlen –, dann kann es sein,
dass diese Erfahrung als nicht existent erachtet wird: sie ist unwirklich.«
Spender, 1985, S. 10 f. Übersetzt von der Autorin.

9 »Glückwunsch. Sie fünf müssen nicht länger so tun, als fühlten Sie sich zu
Harvey Weinstein hingezogen.«

10 Bereits 2006 nutzte die Aktivistin Tarana Burke »Me Too« als Schlagwort
auf der Plattform Myspace, um sexuelle Gewalt gegenüber Frauen of
Color zu thematisieren. 2017 griff die Schauspielerin Alyssa Milano es
prominent auf.

11 Dieses und alle folgenden Zitate wurden als Twitter-Posts im September
2013 veröffentlicht.

12 Seither gibt es berechtigte Kritik am Begriff »Alltagsrassismus«, weil mit
ihm eine Verharmlosung ebenjenes einhergeht. Vorgeschlagen wird
deshalb, von »Rassismus im Alltag« zu sprechen.

13 »Wiederholt« deshalb, denn #SchauHin war mitnichten ein Anfang.
Schon seit Jahrzehnten hatten Organisationen und Aktivist*innen mit
Büchern, mit intellektueller, wissenschaftlicher und künstlerischer Arbeit
den Weg dafür geebnet, dass Rassismus in seiner im Alltag normalisierten
Form erkennbar und benennbar wurde. Doch ein Begriff muss fort-
während, immer wieder aufs Neue mit Bedeutung gefüllt werden. Den

Menschen, die die Basis für diese Bewusstseinsprozesse legten, lässt sich in ihrer großen Zahl nicht gerecht werden, deshalb seien hier nur einige stellvertretend genannt: Organisationen wie ADEFRA e.V. (Schwarze Frauen in Deutschland), ISD e.V. (Initiative Schwarzer Menschen in Deutschland) oder der braune mob e.V. sowie Persönlichkeiten wie May Ayim, Grada Kilomba, Dagmar Schultz, Peggy Piesche, Noah Sow, Mutlu Ergün Hamaz, Fatima El-Tayeb, Sharon Dodua Otoo, Tupoka Ogette, Joshua Kwesi Aikins, Prof. Dr. Maureen Maisha Eggers und unzählige mehr.

14 Wie Dale Spender schrieb: »Würden Frauen gemeinsam handeln und ihre Aktivitäten gegenseitig anerkennen, bliebe Männern wenig übrig, als ihre Meinung zu ändern – geringfügig jedenfalls. Männer haben jahrhundertelang die Richtigkeit und Angemessenheit ihrer Beschreibungen und Erklärungen der Welt – und der Frauen – untereinander abgeglichen und einander bestätigt, ohne dabei je die Frauen einzubeziehen. (…) Frauen ergriffen die Initiative und Männer wären verpflichtet zu reagieren.« Dale Spender, *Man Made Language*, London 1990, S. 4. Übersetzt von der Autorin.

15 Die Anekdote findet nach dieser Intervention noch ein positives Ende. Shiferaw schreibt: »Sie kriegt Tränen in den Augen. *Sie haben Recht. Das ist unfair. Es ist mir jetzt auch peinlich, aber ich weiß auch nicht, was ich dagegen machen kann. Das ist einfach so, dass ich ein mulmiges Gefühl habe.*« https://www.facebook.com/EOTO.eV/posts/2273914666058350 (abgerufen am 09.10.2019).

16 Caroline Criado Perez, *Invisible Women. Exposing Data Bias in a World Designed for Men*, London 2019, S. 60. Übersetzt von der Autorin.

17 Paul Celan, *Eingedunkelt und Gedichte aus dem Umkreis von Eingedunkelt*, Frankfurt am Main 1991, S. 41.

18 Semra Ertan, »Mein Name ist Ausländer«, zitiert in Cana Bilir-Meier, *Nachdenken über das Archiv – Notizen zu Semra Ertan*, http://www.canabilirmeier.com/wp-content/uploads/2015/07/Nachdenken-%C3%BCber-das-Archiv-%E2%80%93-Notizen-zu-Semra-Ertan.pdf (abgerufen am 20.09.2019).

19 Zu sehen im Video der Künstlerin und Nichte von Semra Ertan, Cana Bilir-Meier, https://vimeo.com/90241760, Minute 5:56.

20 Hamburger Abendblatt, »Erschütternde Verzweiflungstat einer Türkin«, *Hamburger Abendblatt*, 01.06.1982, https://web.archive.org/web/20140728185642/http://www.abendblatt.de/archiv/article.php?xmlurl=/ha/1982/xml/19820601xml/habxml820406_7026.xml (abgerufen am 20.09.2019).

1 Vinda Gouma, »Ich bin die Flüchtlinge!«, *Der Tagesspiegel*, 28.01.2019, https://www.tagesspiegel.de/gesellschaft/lesermeinung-ich-bin-die-fluechtlinge/23917406.html (abgerufen am 20.09.2019).

2 Ebd.

3 Sara Yasin, »Muslims Shouldn't Have To Be ›Good‹ To Be Granted Human Rights«, *Buzz Feed News*, 21.02.2017, https://www.buzzfeed.com/sarayasin/muslims-shouldnt-have-to-be-good-to-be-granted-human-rights?utm_term=.yjWBJXDVlM#.nsMGR1v9oz (abgerufen am 10.01.2019). Übersetzt von der Autorin.

4 Welche Aggression und Irritation die muslimische Frau auslöst, insbesondere dann, wenn sie sich durch ihre Kleidung dem Blick der Neugier der Benennenden verwehrt, beschrieb der französische Theoretiker und Vordenker der Entkolonialisierung Frantz Fanon 1959 wie folgt: »Eine Frau, die sieht, ohne selbst gesehen zu werden, erzeugt im Kolonisator ein Gefühl der Ohnmacht. Es gibt keine Wechselbeziehungen. Sie gibt sich nicht hin, verschenkt sich nicht, bietet sich nicht dar. Der Algerier hat zu der algerischen Frau eine insgesamt klare Einstellung. Er sieht sie nicht; ja, er versucht, die Frau nicht zu beachten. Es gibt bei ihm weder auf der Straße noch im Freien dieses der zwischengeschlechtlichen Begegnung entsprechende Betragen, das sich im Auftreten, in der Körperhaltung, in den verschiedenen Verhaltensweisen, an die uns die Phänomenologie der Geschlechter gewöhnt hat, beschreiben läßt. Der der Algerierin gegenübertretende Europäer dagegen will *sehen*. Er reagiert aggressiv vor dieser Einschränkung seiner Wahrnehmung. Die Aggressivität tritt in den strukturell ambivalenten Verhaltensweisen und im Traummaterial zutage, das man gleicherweise beim normalen wie bei dem an neurotischen Störungen leidenden Europäer beobachtet.« Frantz Fanon, *Aspekte der Algerischen Revolution*, übersetzt von Peter-Anton von Arnim, Frankfurt am Main 1969, S. 28.

5 Ich könnte ja auch einfach glücklich damit sein, die »Kopftuch-Dame« in diesen Runden zu sein, eine ganze Weltreligion repräsentieren zu dürfen, ja, den Luxus zu haben, im Namen von Millionen Menschen zu sprechen, ohne vorher ihre Erlaubnis einzuholen, ohne von ihnen gewählt worden zu sein, und noch viel besser: ohne von ihnen abgewählt werden zu können. Einfach nur deshalb, weil es die Medienlogik wünscht. Weil unsere Gesellschaft sich mit Komplexität nicht befassen möchte. Weil sich unsere mediale Öffentlichkeit *eine* Person als Repräsentant*in für eine Religion, eine Menschengruppe, ein Land, einen Kontinent wünscht. Natürlich, ich könnte dankbar dafür sein, dass ich diese Luxusposition besetzen darf. Aber ich halte dieses System für grundfalsch.

6 Ich würde es Ihnen erklären, wenn mir danach ist. Und Sie mir das Gefühl vermitteln, wirklich neugierig zu sein – auf einer menschlichen Ebene. Doch in den seltensten Fällen wurde mir dieses Gefühl von einem fremden Menschen vermittelt. Viel eher von Menschen, die mich schon lange kennen, mit denen ich befreundet bin. Von denen intime Fragen dieser Art viel angemessener erscheinen.

7 Es gibt mindestens so viele Gründe dafür, dass Frauen das Kopftuch ablegen, wie dafür, dass sie es tragen. Es gibt Frauen, die nicht mehr glauben wollen, möchten, können; Frauen, die nicht mehr der Glaubens-gemeinschaft zugeordnet werden wollen; Frauen, die ohnehin nie eines tragen wollten und nun endlich Strukturen schaffen konnten, in denen sie sich diesem Druck nicht mehr unterordnen müssen; Frauen, die keine religiöse Grundlage für ein Kopftuch sehen; Frauen, die sexistische, patriarchale Strukturen nicht mehr ertragen wollen, die sich gegen die sexistische Instrumentalisierung des Kopftuchs wehren wollen – es gibt diese und viele, viele andere Gründe. Was Sie also nicht tun sollten: die im Text genannte Begründung zu *der* Begründung erklären, also *eine* Perspektive verabsolutieren.

8 Martin Buber, *Ich und Du*, Stuttgart 1959, S. 130.

Wissen ohne Wert

1 John Bargh, *Vor dem Denken. Wie das Unbewusste uns steuert*, übersetzt von Gabriele Gockel, Bernhard Jendricke und Peter Robert, München 2018.

2 Eine Organisation, die sich trotz dieser Widerstände beständig um Auf-klärung bemüht, ist »Heart« aus den USA: Muslimische Frauen tragen Informationen und Bildung zum Thema Sexualität und Gesundheit in muslimische Gemeinschaften hinein und thematisieren auch kontroverse Themen wie Missbrauch durch religiöse Amtsträger, wie beispielsweise in diesem Beitrag: Nadiah Mohajir, »Working Toward Community Accoun-tability«, *HEART*, http://heartwomenandgirls.org/2019/09/14/working-toward-community-accountability/ (abgerufen am 09.10.2019). Sexismus in muslimischen Gemeinschaften zu benennen, ohne das rassistische Stereotyp des sexualisierten muslimischen Mannes zu manifestieren, ist ein schwieriges Unterfangen. Heart und andere Initiativen sowie Indivi-duen nehmen sich dieser Herausforderungen an – oft zu einem hohen persönlichen Preis.

3 R. A. Donovan und L. M. West, »Stress and mental health: Moderating role of the strong black woman stereotype«, *Journal of Black Psychology* 41, Nr. 4 (2015), S. 384–396.

4 »Racial bias in pain assessment and treatment recommendations, and false beliefs about biological differences between blacks and whites«, *PNAS*, https://www.pnas.org/content/113/16/4296 (abgerufen am 11.10.2019).

5 »Weak Black Women Official Music Video. The Rundown With Robin Thede«, https://www.youtube.com/watch?v=yUswFJ6q_5Q (abgerufen am 09.10.2019).

6 Max Czollek, *Desintegriert euch!* München 2018, S. 192.

7 Zitiert nach Shermin Langhoff, Intendantin des Gorki Theaters, im Interview mit dem *Tagesspiegel*. Patrick Wildermann, »Die Lage in der Türkei verfinstert sich täglich«, *Der Tagesspiegel*, 19.01.2017, https://www. tagesspiegel.de/kultur/gorki-chefin-shermin-langhoff-die-lage-in-der-tuerkei-verfinstert-sich-taeglich/19265526.html (abgerufen am 09.10.2019).

8 Liebe Person, die mir diese Nachricht schickte. Leider konnte ich dich und deinen Namen auf Instagram nicht mehr ausfindig machen. Wenn du das hier liest, melde dich doch bitte bei mir. In einer späteren Auflage würde ich dich gerne namentlich zitieren, wenn du einverstanden bist. Herzlichst! Kübra

9 Kurt Kister, »Stramm rechts – und im Parlament«, *Süddeutsche Zeitung*, 23.09.2017, https://www.sueddeutsche.de/politik/zeitgeschichte-wo-strauss-die-wand-waehnte-1.3677377 (abgerufen am 30.09.2019).

10 »Kampfansage nach Bundestagswahl: AfD-Politiker Gauland über Merkel: ›Wir werden sie jagen‹«, *BR*, 24.09.2017, https://www.br.de/ bundestagswahl/afd-politiker-gauland-ueber-merkel-wir-werden-sie-jagen-100.html (abgerufen am 30.09.2019).

11 Krista Tippett, »Arnold Eisen: The Opposite of Good Is Indifference«, *On Being*, 21.09.2017, https://onbeing.org/programs/arnold-eisen-the-opposite-of-good-is-indifference-sep2017/ (abgerufen am 30.09.2019).

Die intellektuelle Putzfrau

1 Damals verwendete ich noch diesen Begriff. Heute ziehe ich es vor, »anti-muslimischer Rassismus« zu sagen. Eine gute Erklärung hierzu bietet Elisabeth Wehling in ihrem Buch *Politisches Framing*: »Man kann nur von Glück sagen, dass der Phobie-Frame nicht auch in anderen Debatten sprachlich in Mode geraten ist. *Frauenphobie* statt *Frauenfeindlichkeit*, *Judenphobie* statt *Judenfeindlichkeit*, *arbeiterphobische* statt *arbeiterfeindliche* Gesetze. Der Begriff *Islamophobie* ist mehr als nur problematisch, ich halte ihn für gefährlich. Islam-feindliches Denken ist eine Geisteshaltung, keine klinische Angststörung. Und gegen Muslime gerichtetes Handeln geschieht nicht im Affekt. Und wenn es stimmt, dass nur gewalttätige Muslime gemeint seien – wie immer wieder bei dem Versuch, die

Gefahren des Islam für die christliche Kultur erklären zu wollen, beteuert wird –, warum dann *Islamophobie?*« Elisabeth Wehling, *Politisches Framing. Wie eine Nation sich ihr Denken einredet – und daraus Politik macht,* Köln 2016, S. 159. Empfehlenswert sind auch Yasemin Shooman, »*... weil ihre Kultur so ist*« – *Narrative des antimuslimischen Rassismus,* Bielefeld 2014 sowie Ozan Zakariya Keskinkılıç, *Die Islamdebatte gehört zu Deutschland. Rechtspopulismus und antimuslimischer Rassismus im (post-)kolonialen Kontext,* Berlin 2019.

2 Claude M. Steele, *Whistling Vivaldi. How Stereotypes Affect Us and What We Can Do,* New York 2011.

3 Friedrich Nietzsche, *Menschliches, Allzumenschliches. Ein Buch für freie Geister,* Leipzig 1886, 531.

4 Toni Morrison, »A Humanist View«, *Portland State University's Oregon Public Speakers Collection,* 1975, https://www.mackenzian.com/wp-content/uploads/2014/07/Transcript_PortlandState_TMorrison.pdf (abgerufen am 20.09.2019). Übersetzt von der Autorin.

5 Maya Angelou, *Ich weiß, warum der gefangene Vogel singt,* übersetzt von Harry Oberländer, Berlin 2019.

6 Die zitierten Abschnitte entstammen einer privaten Korrespondenz mit Hatice Akyün.

7 Zitiert in Teresa Bücker, »Warum es so wichtig ist, eine Haltung zu haben«, *Edition F,* 27.03.2016, https://editionf.com/warum-es-so-wichtig-ist-eine-haltung-zu-haben/ (abgerufen am 30.09.2019).

8 Mely Kiyak, »Der Hass ist nicht neu. Für uns nicht.«, Festrede bei der Verleihung des Otto-Brenner-Preises, *Über Medien,* 29.11.2016, https://uebermedien.de/10293/der-hass-ist-nicht-neu-fuer-uns-nicht/ (abgerufen am 20.09.2019).

9 Frithjof Staude-Müller, Britta Hansen und Melanie Voss, »How stressful is online victimization? Effects of victim's personality and properties of the incident«, *European Journal of Developmental Psychology* 9, Nr. 2 (2012), S. 260–274.

10 Der Fall zeigt, wie wichtig es ist, in der Berichterstattung nicht die Perspektive des Täters zu übernehmen. dpa, »Angreifer boxt schwangere Frau wegen Kopftuch in den Bauch«, *Berliner Morgenpost,* 20.03.2019, https://www.morgenpost.de/berlin/polizeibericht/article216699249/Angreifer-boxt-schwangerer-Frau-wegen-Kopftuch-in-den-Bauch.html (abgerufen am 11.10.2019).

11 *Anne Will* 17.03.2019, *hart aber fair* 18.03.2019, *Maischberger* 20.03.2019.

12 »Eine von vier Frauen hatte eine Abtreibung. Viele denken, sie kennen niemanden, die eine hatte, aber #youknowme. Lasst uns Folgendes tun: Wenn du auch eine von vieren bist, lasst es uns teilen und damit anfangen, die Beschämung zu beenden.« Busy Philipps, https://twitter.

com/BusyPhilipps/status/1128515490559610881?p=v. Übersetzt von der Autorin.

13 Sara Locke, https://twitter.com/saralockeSTFW/status/112887317 6912605184. Übersetzt von der Autorin. HIPAA steht für *Health Insurance Portability and Accountability Act* und ist ein US-amerikanisches Gesetz aus dem Jahr 1996, das unter anderem Datenschutzbestimmungen in Bezug auf Krankenversicherungen reguliert.

14 Vortrag »Organisierte Liebe« auf der re:publica 2016, https://www. youtube.com/watch?v=BNLhT5hZaV8&t=1s (abgerufen am 09.10.2019).

Die Agenda der Rechten

1 Bernhard Pörksen, *Die große Gereiztheit. Wege aus der kollektiven Erregung,* München 2018, S.165.

2 Von der Carole Cadwalladr in einem TED Talk berichtete: https://www. ted.com/talks/carole_cadwalladr_facebook_s_role_in_brexit_and_the_ threat_to_democracy/transcript#t-886323 (abgerufen am 11.10.2019).

3 Die Journalistin Ingrid Brodnig schreibt hierzu: »Die wichtigsten Gate-keeper im Netz, die Informationen für uns sortieren und aussortieren, heißen nicht BBC, CNN, Le Monde oder New York Times. Sie heißen Facebook und Google. Umso problematischer ist dann, wenn deren Techniker so tun, als hätten sie keinen Einfluss auf die Informations-selektion, die die von ihnen programmierte Software durchführt.« Ingrid Brodnig, *Hass im Netz. Was wir gegen Hetze, Mobbing und Lügen tun können,* Wien 2016, S. 201.

4 Philip Kreißel, Julia Ebner, Alexander Urban und Jakob Guhl, *Hass auf Knopfdruck: Rechtsextreme Trollfabriken und das Ökosystem koordinierter Hasskampagnen im Netz,* London 2018, https://www.isdglobal.org/ wp-content/uploads/2018/07/ISD_Ich_Bin_Hier_2.pdf (abgerufen am 20.09.2019).

5 Bertolt Brecht, »Fünf Schwierigkeiten beim Schreiben der Wahrheit«, *Unsere Zeit* 8, Nr. 2/3 (1935), S. 23 f.

6 Noah Sow, *Deutschland Schwarz Weiß. Der alltägliche Rassismus.* München 2009, S.30 f.

7 In diesem Interview erklärt der Soziologe Matthias Quent, wie wichtig es ist, diese Tat explizit als »Rechtsterror« und nicht als »Amoklauf« zu bezeichnen: »Die Tat hat eine spezifische politische und gesellschaftliche Wirkung. Offenbar hat der Täter durch eine schockierende Botschaftstat gegen nicht weiße Menschen, gegen People of Color, Angst und Schre-cken hervorrufen wollen. Die rassistisch motivierte Opferauswahl steigert Spannungen zwischen gesellschaftlichen Gruppen. Sie betont und ver-

stärkt ethnische Unterschiede und inszeniert sie als Grund für Gewalt. Deswegen spreche ich von Vorurteils- oder Hassverbrechen und auch von Rechtsterrorismus.« Vanessa Vu, »Die Grenzen zwischen Amok und Terror können verwischen«, *Zeit Online*, 02.01.2019, https://www.zeit.de/gesellschaft/2019-01/rechtsextremismus-anschlag-bottrop-rassismus-radikalisierung-terror-matthias-quent/komplettansicht (abgerufen am 09.10.2019).

8 Ogette, 2017, S. 80.

9 So geschehen im ARD-Sommerinterview 2019. Gauland: »Aber es gibt manchmal Menschen bei uns, die verkennen, dass die Partei eine Kampfgemeinschaft ist …« Moderatorin: »Eine Kampfgemeinschaft?« Gauland: »Eine Kampfgemeinschaft im Sinne der politischen Veränderung und der politischen Machtteilhabe.« https://www.daserste.de/information/nachrichten-wetter/bericht-aus-berlin/videosextern/bericht-aus-berlin-ut538~_withoutOffset-true.xml (abgerufen am 09.10.2019).

10 *Monitor* 19.01.2017.

11 Victor Klemperer, *LTI: Notizbuch eines Philologen*, Stuttgart 2007, S. 256.

12 Ron Suskind, »Faith, Certainty and the Presidency of George W. Bush«, *NY Times Magazine*, 17.10.2004, https://www.nytimes.com/2004/10/17/magazine/faith-certainty-and-the-presidency-of-george-w-bush.html (abgerufen am 20.09.2019). Übersetzt von der Autorin.

Der Absolutheitsglaube

1 Michel Foucault, *Sexualität und Wahrheit: Der Wille zum Wissen*, übersetzt von Ulrich Raulff und Walter Seitter, Frankfurt am Main 1983, S. 116.

2 Bargh, 2018.

3 Mareike Nieberding, »Was Frauen krank macht«, *Süddeutsche Zeitung*, 23.05.2019, https://sz-magazin.sueddeutsche.de/frauen/frauen-gesundheit-medizin-87304?reduced=true (abgerufen am 20.09.2019).

4 Zu den Bereichen der Frauengesundheit, die gut erforscht sind, zählen Verhütung (siehe Anti-Babypille) und Depressionen. Bei Depressionen sind damit Männer benachteiligt, bei denen die Suizid-Raten tatsächlich höher sind. Auch hier gilt: Data Gaps können tödlich sein.

5 Perez, 2019.

6 Friedrich Nietzsche, *Zur Genealogie der Moral*, in: ders., *Sämtliche Werke*, Bd. 5, München 1999, S. 365.

7 Friedrich Nietzsche, *Die fröhliche Wissenschaft*, in: ders., *Sämtliche Werke*, Bd. 3, München 1999, S. 627.

8 Thomas Bauer, *Kultur der Ambiguität*, Berlin 2011, S. 27.

9 Ebd., S. 251.

10 Ebd., S. 250.

11 Ebd., S. 344.

12 Ebd., S. 346 f.

13 Ebd., S. 347.

Frei sprechen

1 Die *Kontakthypothese* wurde von dem US-amerikanischen Sozialpsychologen und Vorurteilsforscher Gordon Willert Allport in seinem Buch *The nature of prejudice* aufgestellt. Gordon Willert Allport, *The nature of prejudice*, Reading Massachusetts 1954.

2 Chimamanda Ngozi Adichie, »The Danger of the Single Story«, *TED Global* 2009, https://www.ted.com/talks/chimamanda_adichie_the_ danger_of_a_single_story (abgerufen am 20.09.2019).

3 *Abla* ist eine respektvolle Ansprache jüngerer Geschwister an die ältere Schwester, wird aber auch durch jüngere Personen für (nicht wesentlich) ältere Frauen verwendet.

4 James Baldwin, *Schwarz und Weiß oder Was es heißt, ein Amerikaner zu sein*, übersetzt von Leonharda Gescher, Hamburg 1977, S. 44.

5 Gloria Boateng, *Mein steiniger Weg zum Erfolg. Wie Lernen hilft Hürden zu überwinden und warum Aufgeben keine Lösung ist*, Hamburg 2019, S. 202 f.

6 Grada Kilomba, »Becoming a Subject«, in: *Mythen, Masken, Subjekte. Kritische Weißseinsforschung in Deutschland*, hg. von Maureen Maisha Eggers, Grada Kilomba, Peggy Piesche und Susan Arndt, Münster 2009, S. 22. Übersetzt von der Autorin.

7 Viet Thanh Nguyen, https://twitter.com/viet_t_nguyen/sta- tus/1100788236824109056 . Übersetzt von der Autorin.

8 Ein Neologismus, den die Wissenschaftlerin und *Kanakademic* Saboura Manpreet Naqshband in der 8. Episode »Anpassen Deluxe – Sehe ich richtig aus?« als Selbstbezeichnung für *Kanaks* in der Wissenschaft einführt, https://youtu.be/F2eQMh5wmc8 (abgerufen am 09.10.2019).

9 »Kritisches Kartoffeltum«: Saboura Manpreet Naqshband bezeichnet damit »weiße Deutsche, die antirassistisch denken und handeln, und die über ihre kulturellen Gebräuche und Traditionen lachen können. Zudem bezeichnet es diejenigen, die sich – im Auftrag des Gemeinwohls – aufrichtig mit ihrer rassistischen Gegenwart und Vergangenheit auseinandersetzen (wollen).« https://www.instagram.com/p/B2rQJ8forhT/ (abgerufen am 09.10.2019).

10 Bei der Gründung Anfang 2018 hieß die Sendung noch *Blackrock Talk*, eine direkte Übersetzung des Nachnamens der Gründerin (Karakaya) ins

Englische. Im Oktober 2019 wurde das Format in das Jugendprogramm von ARD und ZDF *funk* aufgenommen und heißt seither *Karakaya Talk*.

11 Kartina Richardson, »How Can White Americans Be Free?: The default belief that the white experience is a neutral and objective one hurts both white and American culture«, *Salon*, 25.04.2013, https://www.salon.com/2013/04/25/how_can_white_americans_be_free/ (abgerufen am 20.09.2019). Übersetzt von der Autorin.

12 Immer wieder höre ich aus dem Umfeld der bildenden Kunst, der Musik, der Literatur, dass weiße privilegierte Künstler*innen gegenüber Marginalisierten scheinbar neidvoll kommentieren, dass diese »das Glück« hätten, Leid zu erleben und folglich »Material« für ihre Kunst zu haben – eine beispielhafte Demonstration von Ignoranz, die sich als Verständnis tarnt, denn jede*r marginalisierte*r Künstler*in, die ich kenne, würde ihre Arbeit aufgeben, wenn sie damit der Unterdrückung ein Ende setzen könnte. So war aber der Kommentar der Autorin an jenem Abend nicht gemeint.

13 Ghayath Almadhoun, *Die Hauptstadt*, übersetzt von Larissa Bender, http://www.citybooks.eu/en/cities/citybooks/p/detail/the-capital (abgerufen am 09.10.2019).

Ein neues Sprechen

1 Aladin El-Mafaalani, *Das Integrationsparadox. Warum gelungene Integration zu mehr Konflikten führt*, Köln 2018.

2 »Als ›Vorzimmerdame‹ begehrt – als Kollegin unerwünscht!« heißt der Titel eines Essays der Politologin Helga Körnig. Damit beschrieb sie vor über drei Jahrzehnten einen ähnlichen Konflikt, allerdings in Bezug auf die Rolle der (weißen) Frau. Eine kleine Erinnerung daran, dass manche Konflikte nur oberflächlich »neue« sind. Helga Körnig, »Als ›Vorzimmerdame‹ begehrt – als Kollegin unerwünscht!«, in *Utopos – Kein Ort. Ein Lesebuch. Mary Daly's Patriarchatkritik und feministische Politik*, hg. von Marlies Fröse, Bielefeld 1988.

3 El-Mafaalani, 2018, S. 79.

4 Ebd., S. 229.

5 So wie es im Juli 2019 Präsident Donald Trump gegenüber vier demokratischen Kongress-Abgeordneten of Color tat und damit empörte Reaktionen auslöste. Bundeskanzlerin Angela Merkel reagierte auf die Frage nach ihrer Haltung zu Trumps Aussage bei einer Pressekonferenz mit den Worten: »Ich distanziere mich davon entschieden und fühle mich solidarisch mit den attackierten Frauen.« Zeit Online/dpa/jsp, »Bundeskanzlerin: ›Ich fühle mich solidarisch mit den attackierten Frauen‹«, *Zeit*

Online, 19.07.2019, https://www.zeit.de/politik/deutschland/ 2019-07/ bundeskanzlerin-angela-merkel-dublin-reform-seenotrettung (abgerufen am 20.09.2019).

6   Marvin E. Milbauer, »Powell, King Speak on Negro Problems: Congressman Sees Threat to U.S. Power«, *The Harvard Crimson*, 25.04.1964, https://www.thecrimson.com/article/1964/4/25/powell-king-speak-on-negro-problems/ (abgerufen am 20.09.2019). Ein Ausschnitt der Rede ist hier zu finden: https://www.youtube.com/watch?v=o_WJ4PpxWaE, ab Minute 12:06 (abgerufen am 09.10.2019).

7   Naika Foroutan, *Die postmigrantische Gesellschaft. Ein Versprechen der pluralen Demokratie*, Bielefeld 2019, S. 13 f.

8   Marie Shear, »Media Watch. Celebrating Women's Words«, *New Directions for Women* 15, Nr. 3 (1986), S. 6. Übersetzt von der Autorin.

9   Erik Olin Wright, *Reale Utopien. Wege aus dem Kapitalismus*, übersetzt von Max Henninger, Berlin 2017, S. 492. Wright beschreibt in seiner Auseinandersetzung mit Utopien den Kapitalismus als grundlegendes Hindernis für soziale und politische Gerechtigkeit: »Das ist der fundamentale Ausgangspunkt der Suche nach Alternativen: die Kritik des Kapitalismus als Macht- und Ungleichheitsstruktur. (...) Daraus folgt weder, dass alle sozialen Ungerechtigkeiten dem Kapitalismus zuzuschreiben sind, noch, dass die vollständige Aufhebung des Kapitalismus eine notwendige Vorbedingung wesentlicher Fortschritte bei der Verwirklichung sozialer und politischer Gerechtigkeit ist. Es folgt jedoch daraus, dass der Kampf um menschliche Emanzipation einen Kampf gegen den Kapitalismus erfordert und nicht etwa nur einen Kampf innerhalb des Kapitalismus.« Ebd., S. 487.

10   Foucault nannte solche Orte »Heterotopien«: »wirkliche Orte, wirksame Orte, die in die Einrichtung der Gesellschaft hineingezeichnet sind, sozusagen Gegenplatzierungen oder Widerlager, tatsächlich realisierte Utopien, in denen die wirklichen Plätze innerhalb der Kultur gleichzeitig repräsentiert, bestritten und gewendet sind, gewissermaßen Orte außerhalb aller Orte, wiewohl sie tatsächlich geortet werden können«. Michel Foucault, »Andere Räume«, in: *Aisthesis. Wahrnehmung heute oder Perspektiven einer anderen Ästhetik*, hg. von Karlheinz Barck, Leipzig 1992, S. 39.

11   Wright, 2017, S. 491 f.

12   Carolin Emcke, »Raus bist du«, *Süddeutsche Zeitung*, 13.05.2019, https://www.sueddeutsche.de/politik/carolin-emcke-kolumne-rassismus-1.4439103 (abgerufen am 09.10.2019).

13   David Bohm, *Der Dialog. Das offene Gespräch am Ende der Diskussion*, übersetzt von Anke Grube, Stuttgart 2008, S. 34.

14   David Bohm, *Die verborgene Ordnung des Lebens*, Grafing 1988, S. 199.

15 Robert Jones jr., https://twitter.com/sonofbaldwin/sta-
    tus/633644373423562753?lang=en. Übersetzt von der Autorin.
16 Spender, 1985, S. 211. Übersetzt von der Autorin.
17 Anand Giridharadas, »Democracy is Not a Supermarket. Why Real
    Change Escapes Many Change-makers – and Why It Doesn't Have To«,
    Medium, 01.11.2017, https://medium.com/@AnandWrites/why-real-chan-
    ge-escapes-many-change-makers-and-why-it-doesnt-have-to-
    8e48332042a8 (abgerufen am 09.10.2019).
18 Roxane Gay, *Bad Feminist*, übersetzt von Anne Spielmann, München 2019,
    S. 7 f.